听见

听力言语康复指导

主　　编　赵　宇

副 主 编　孟照莉　李　群

编　　委　（按姓氏笔画排序）

尹慧琳（四川大学华西医院）　吴君昊（四川大学华西医院）
卢海丹（华东师范大学）　孟照莉（四川大学华西医院）
史　钊（四川大学华西医院）　赵　宇（四川大学华西医院）
李　群（四川大学华西医院）　郭子浩（四川大学华西医院）

编写秘书　尹慧琳　吴　艳

绘　　图　曾小兰

人民卫生出版社

·北　京·

图书在版编目（CIP）数据

听力言语康复指导 / 赵宇主编 . -- 北京 ： 人民卫生出版社，2025. 8. --（听见）. -- ISBN 978-7-117-38339-4

Ⅰ. R764.430.9；H018.4

中国国家版本馆 CIP 数据核字第 2025GL5676 号

听见——听力言语康复指导

Tingjian——Tingli Yanyu Kangfu Zhidao

主　　编：赵　宇
出版发行：人民卫生出版社（中继线 010-59780011）
地　　址：北京市朝阳区潘家园南里 19 号
邮　　编：100021
E - mail：pmph @ pmph.com
购书热线：010-59787592　010-59787584　010-65264830
印　　刷：北京顶佳世纪印刷有限公司
经　　销：新华书店
开　　本：889 × 1194　1/32　　印张：5
字　　数：104 千字
版　　次：2025 年 8 月第 1 版
印　　次：2025 年 8 月第 1 次印刷
标准书号：ISBN 978-7-117-38339-4
定　　价：39.00 元
打击盗版举报电话：010-59787491　E-mail：WQ @ pmph.com
质量问题联系电话：010-59787234　E-mail：zhiliang @ pmph.com
数字融合服务电话：4001118166　E-mail：zengzhi @ pmph.com

感谢

“罩爸带你听”爱耳慈善基金

对本书出版的支持！

罩爸带你听

HELP YOU HEAR FOUNDATION

主编简介

赵　宇　教授、主任医师、博士研究生导师。

四川大学华西临床医学院（华西医院）耳鼻咽喉头颈外科主任、听力与言语康复中心主任、耳鼻咽喉头颈外科学系主任、听力与言语康复学系主任。中华医学会耳鼻咽喉头颈外科分会常务委员、听力学组副组长；中国医师协会耳鼻咽喉头颈外科医师分会听力学组组长；中国听力医学发展基金会科普专家委员会主任委员；“罩爸带你听”爱耳慈善基金发起人。

前　言

亲爱的读者朋友们：

欢迎来到奇妙的听力世界！海伦·凯勒曾经说过：“盲隔绝了人与物，聋隔绝了人与人”(Blindness separates us from things but deafness separates us from people)。听觉是人类感知世界、进行社交沟通的主要通道，如果听觉出现了问题，那么患者只能生活在无声的世界。在这套科普丛书中，我们将为您揭开听力的神秘面纱，探索那些您或许从未注意到的听力奥秘，了解和帮助我们的耳朵，提高耳健康水平。

想象一下，我们的耳朵如同小小的音乐厅，声音就是那些跳跃的音符，它们穿过耳道，在我们的内耳里翩然起舞，最终在大脑中奏响美妙的乐章。但在这场音乐会中，有时会出现一些小插曲，所以在《听见——听力问题健康指导》一书中，我们将和您一起了解这些小插曲背后的故事，和您分享珍爱耳朵的方法。首先，我们将走进孩子们的听力世界。您知道吗？分泌性中耳炎、感音神经性听力损失和耳毒性药物都可能成为孩子们听力的“隐形杀手”，了解这些知识可以帮助您成为孩子们听力的守护者，及时发现那些可能影响他们听力的信号。接下来，我们将和您聊聊成年人的听力保护方法，帮助您在日常生活中更好地保护听力。最后，我们将共同关注老年朋友的听力问题。老年性听力下降和言语分辨率下降，这些看似不可避免的问题，其实背后有着许多我们应该了解的知识和科学的应对方法。

如果您或您爱的人正面临听力问题挑战，那么《听见——听力言语康复指导》一书或许可以帮助您。首先，我们将为您揭开助听器的神秘面纱，解答您关于助听器的常见困惑，一起探索如何挑选一款适合自己的助听器。接下来，我们将带您深入了解已经成功帮助很多人重获听力的“神器”——人工耳蜗，以及何时需要考虑植入人工耳蜗。最后，我们将共同关注那些被忽视的康复训练方法，教您在听力受损后如何重新听懂这个世界、如何用语言清晰地表达，帮助我们的耳朵和大脑重塑听觉－言语－语言沟通。

在丛书的编写过程中，我们努力让复杂的耳科学变得简单、有趣，并通过形象的漫画予以生动展现。希望这套科普丛书能成为您的朋友，无论是在保护耳朵的路上，还是在寻求听力相关问题解决方案的旅途中，都能为您提供帮助和启发。

好，让我们一起踏上这段旅程，探索耳朵的奥秘吧！

赵宇

2025 年 7 月

自测一下您对于耳健康问题的了解程度

Q1

有些耳毒性药物可以一针致聋，是真的吗？

要尽量避免耳毒性药物的使用，减少听力损害的发生。

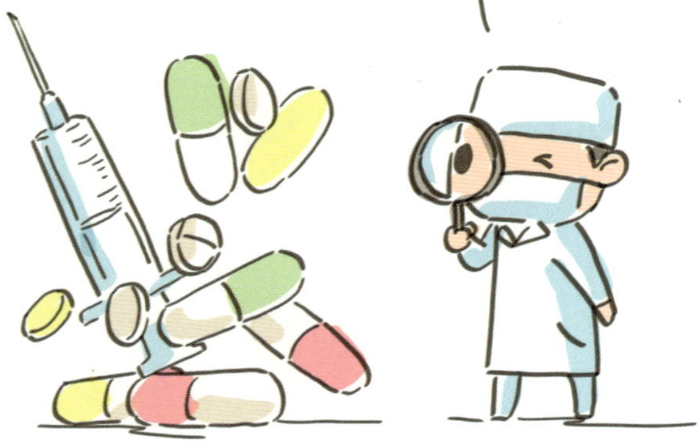

Q2

需不需要掏“耳屎”呢？

如果感到耳朵“堵了”，应该
到医院找医生看看。

Q3

人老耳背，耳鼻咽喉科管不管呢？

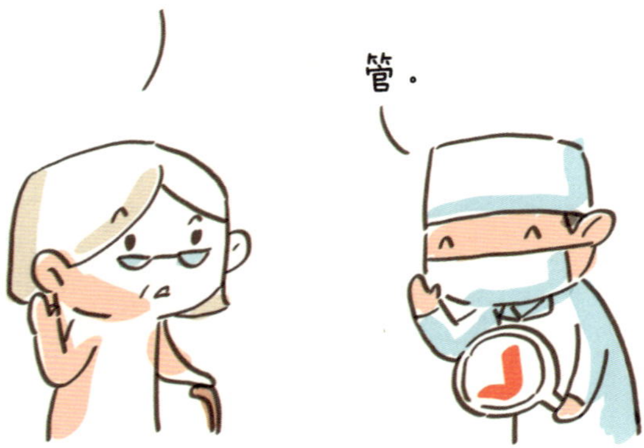

听力健康与老年人生活质量和认知功能息息相关，听力出现问题，需要尽早干预。

Q4

助听器会越戴越聋吗?

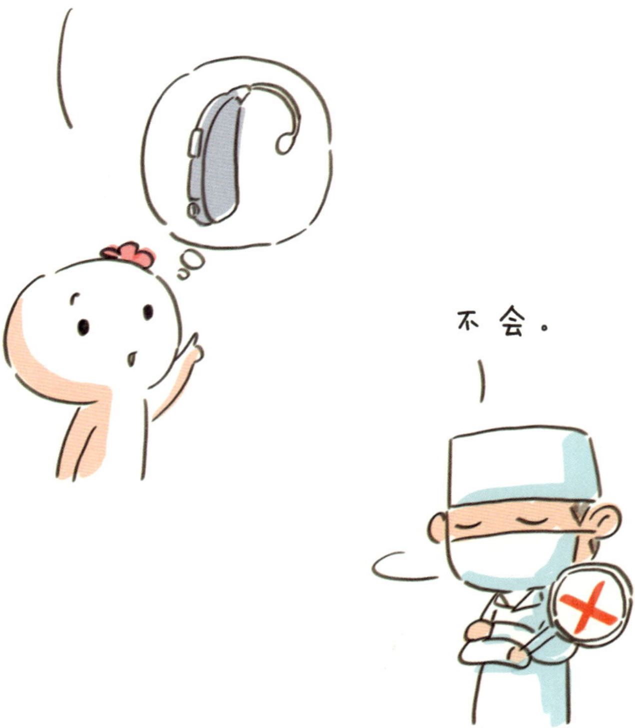

依据科学、规范的听力检测报告进行正规调试的助听器不会损伤佩戴者的听力。

Q5

人工耳蜗是万能的吗?

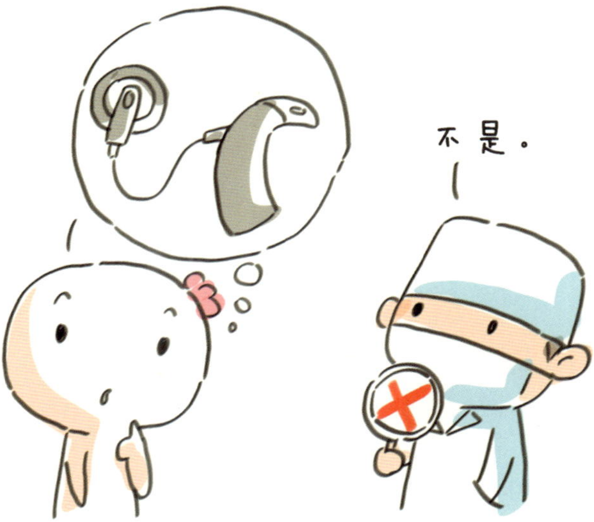

通过植入人工耳蜗，可以电极模拟受损的感音神经，帮助患者恢复对声音的感知。

人工耳蜗并不适用于所有听力损伤患者。

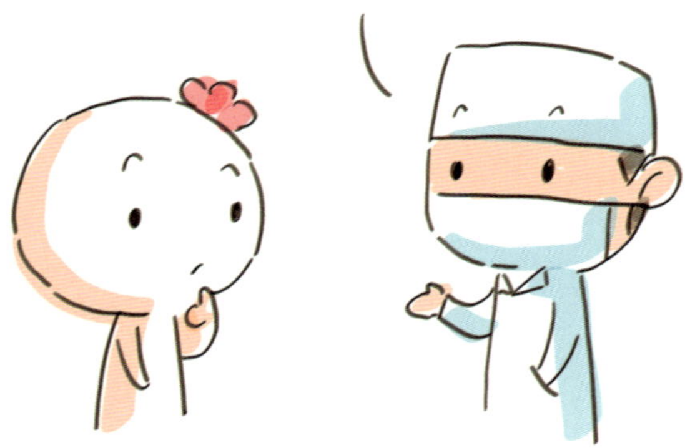

Q6

听得见能够代表听得懂吗？

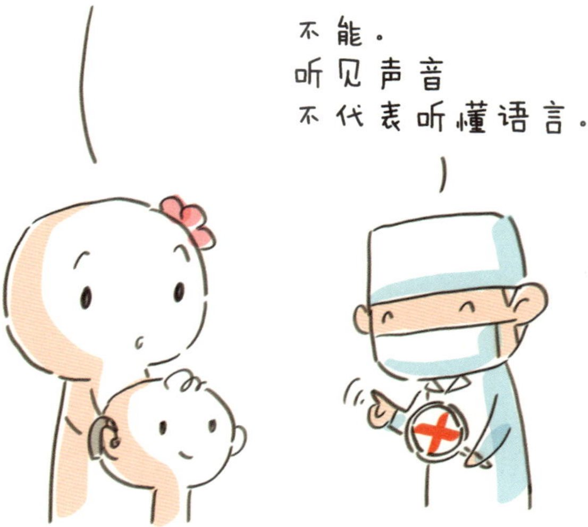

从听见到听懂，是一个循序渐进的过程，患者需要进行系统的听觉-言语-语言康复训练。

目录

第一章

助听器

对助听器的误解与偏见

一提起助听器，大家肯定会有很多疑惑。

助听器里声音吵
得我受不了！

戴上助听器是
不是就取不下
来了？

第一章 助听器

就让我们来一一探索这些问题的答案吧。

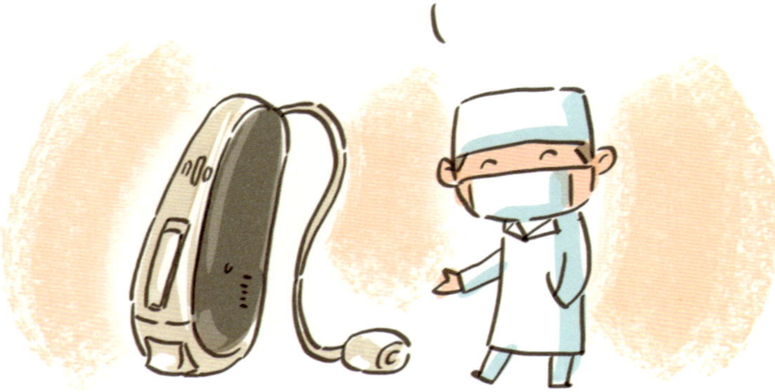

患者需要到正规机构，由专业的助听器验配师根据患者的听力图对助听器进行调试。

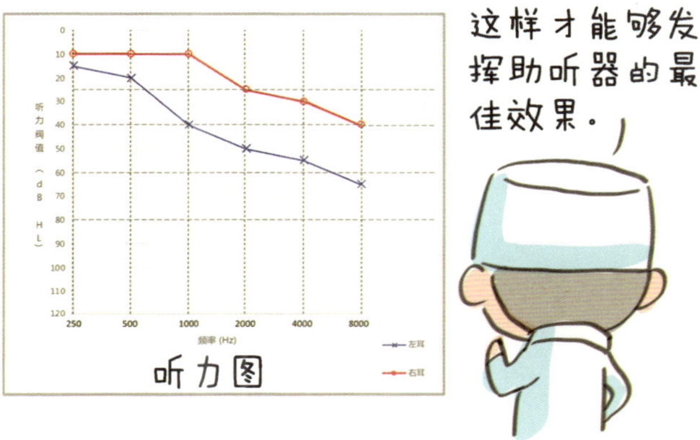

经过正规流程验配的助听器，不会损伤佩戴者的听力。

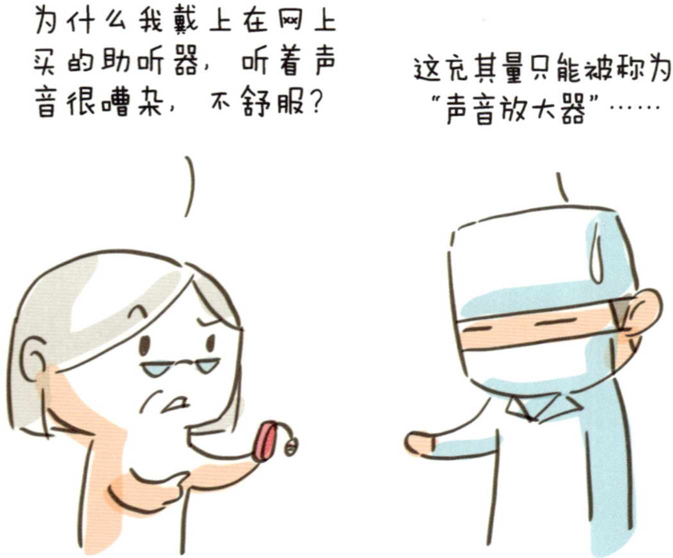

像那种随意购买的、未经调试的“声音放大器”，放大的声音往往不规范，反而是一种噪声，会损伤佩戴者的听力。

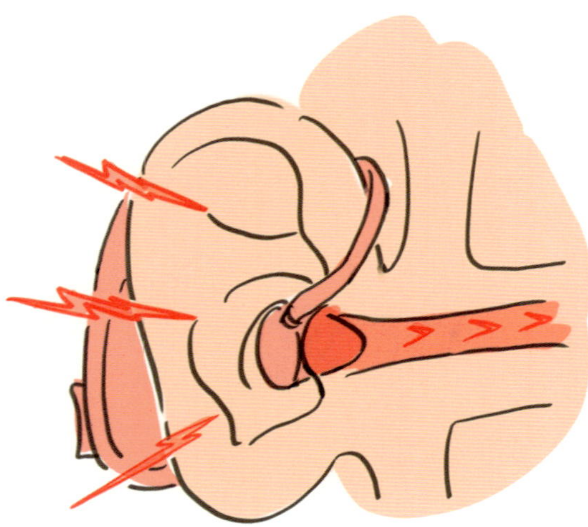

目前的助听器技术较几十年前已经有了突飞猛进的发展，助听器本身不会发出电流声等杂音。

但是在没有戴好助听器的时候，它可能发出噪声，这是因为助听器的麦克风和扬声器离得太近了。

就像我们在KTV唱歌时，有时麦克风会发出尖锐的噪声，是一个道理。

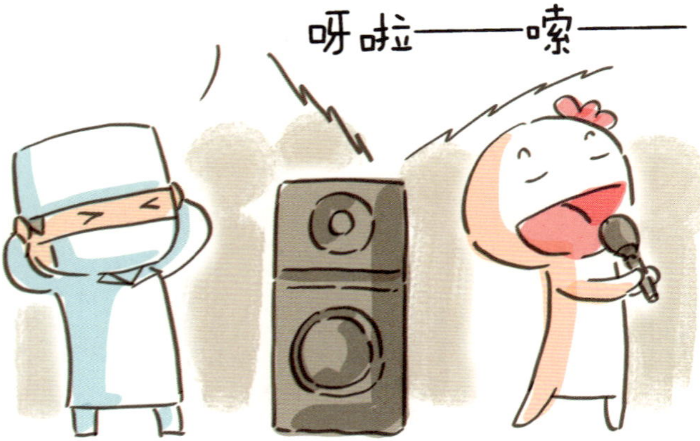

戴上助听器后会不会摘不下来了？

这其实不成问题。

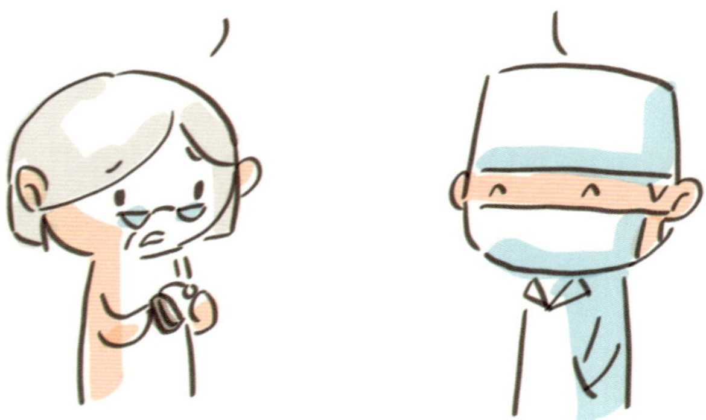

有很多人戴上助听器后，听声音更加清晰了，当然就越戴越爱戴，从而离不开这个声音清晰的世界了。

同时，我们建议每天佩戴助听器的时间要尽可能长。

这样才能多听见声音，锻炼我们的听功能。

所以佩戴通过规范流程验配的助听器，不需要有那么多顾虑，是吧？

没错！大家应该正确认识助听器，不要给助听器扣上莫须有的帽子。

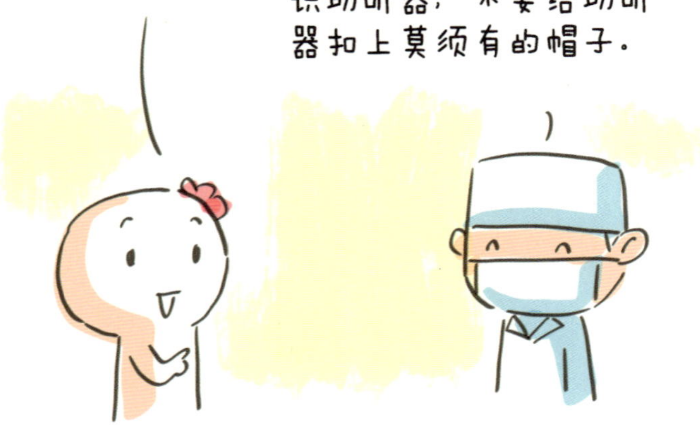

影响助听器效果的因素

影响助听器效果的因素有很多，佩戴者自身的基础条件非常重要。

那需要尽快查查她听力下降的严重程度、下降的时间以及言语分辨率等。

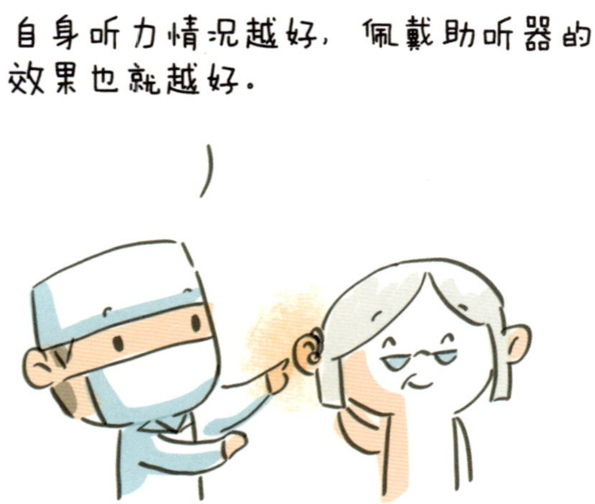
自身听力情况越好，佩戴助听器的效果也就越好。

简而言之，在出现听力问题后，医生如建议佩戴助听器，越早佩戴，效果就会越好。

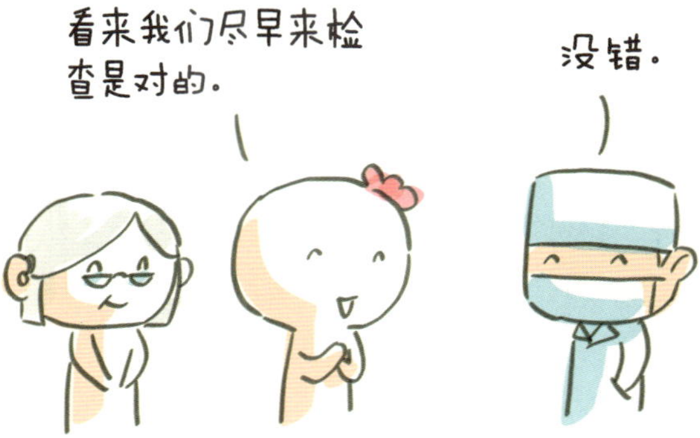

患者需要选择一个适合自己的助听器，并且要通过专业验配师的不断调试。

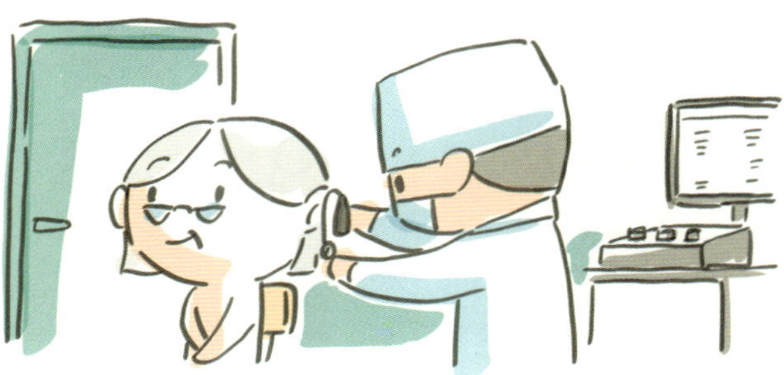

佩戴者自己要坚持佩戴，多听、多说、多练习。

只有佩戴者、家属和助听器验配师等多方人员一起努力，助听器才能够真正物尽其用，发挥出最佳效果。

如何选择合适的助听器

助听器的选择是一个需要考虑多方面因素的复杂过程。

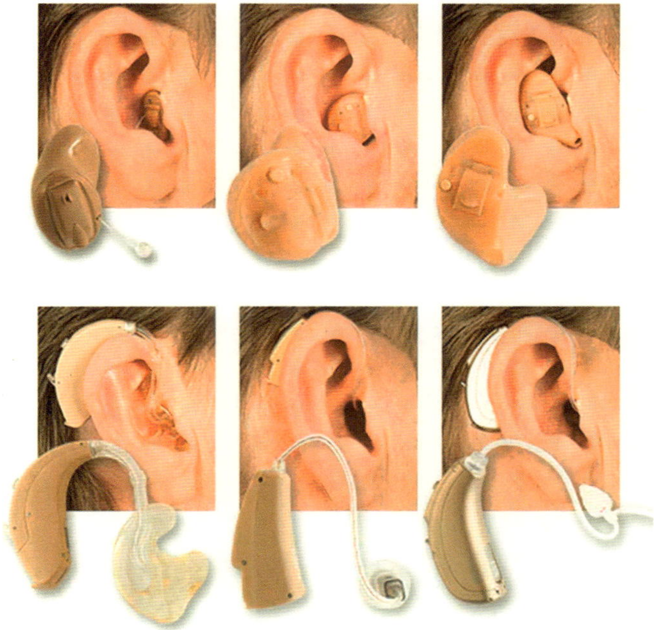

不同类型的助听器

助听器的选择需要考虑听力损失程度

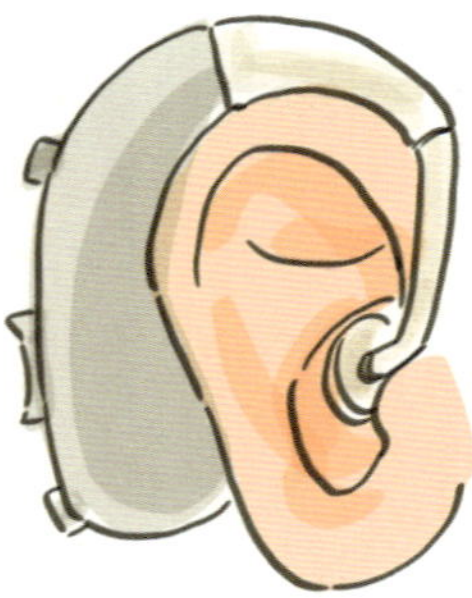

听力损失特别严重的人群，须选择大功率的耳背式助听器。

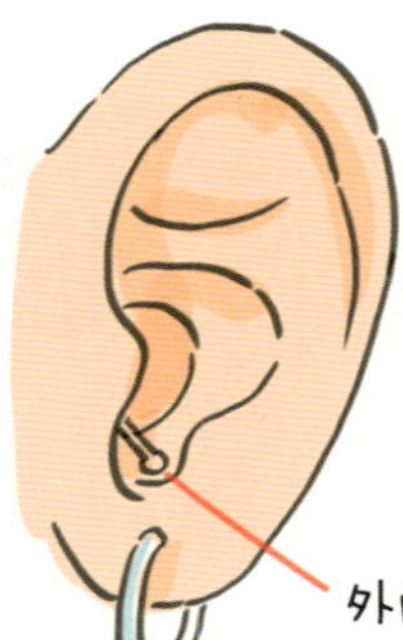

听力损失较轻且特别在乎外观的人群，则可选择深耳式助听器（较隐蔽）。

随着技术的发展，耳背式助听器的外观同样小巧美观，像蓝牙耳机一样，看上去并不明显。

助听器的选择需要考虑年龄因素

儿童选择助听器需要考虑更换成本以及孩子爱护设备的情况。

老年人则需要考虑是否方便摘戴等。

这就需要根据耳朵的情况来选择助听器了。

助听器验配师会结合每个人的实际
情况，在保证效果的前提下，尽量
满足佩戴者对助听器的需求。
我要选个最时髦的
款式，要搭配我的
“奶奶灰”发色，
戴出去我的朋友都
羡慕的那种！
阿姨，外在形象的
美观很重要，但更
重要的是自己的实
际情况，应根据助
听器的补偿效果以
及后期方便程度进
行选择。

第二章

人工耳蜗

什么是人工耳蜗

了解人工耳蜗前，我们先要了解一下耳蜗是什么，它有哪些作用？

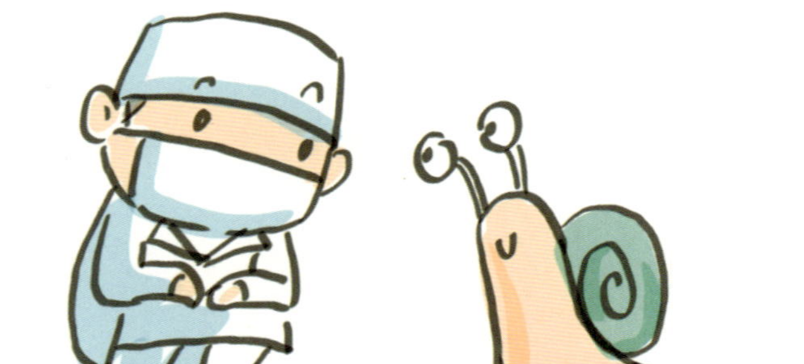

耳蜗是我们内耳的一部分，负责将声音转化为电信号传送给大脑。

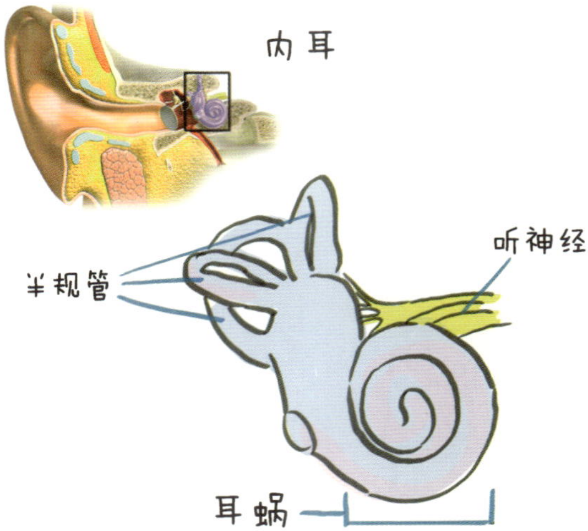

但是当出现感音性听力损失时，这个转化过程就会受到影响。

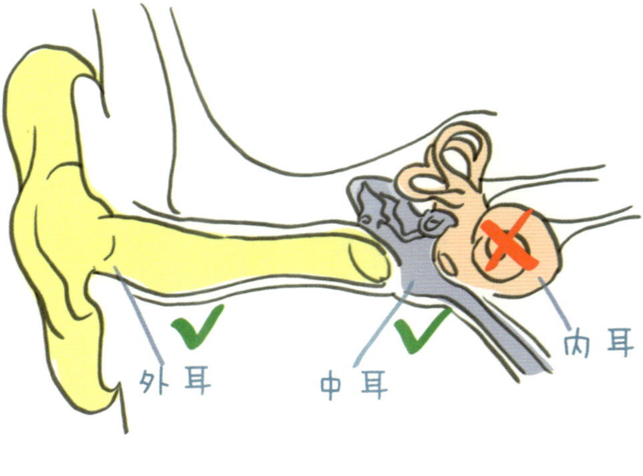

人工耳蜗由两部分组成，分别是体外部分和植入部分。

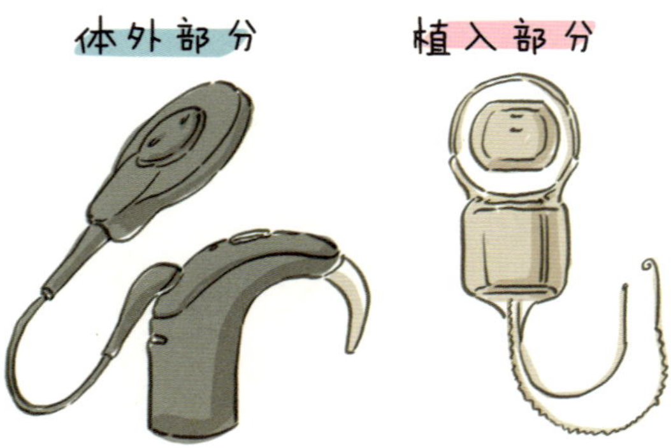

人工耳蜗的一部分在体外，包括麦克风、声音处理器、线圈和磁铁，贴在头皮上。

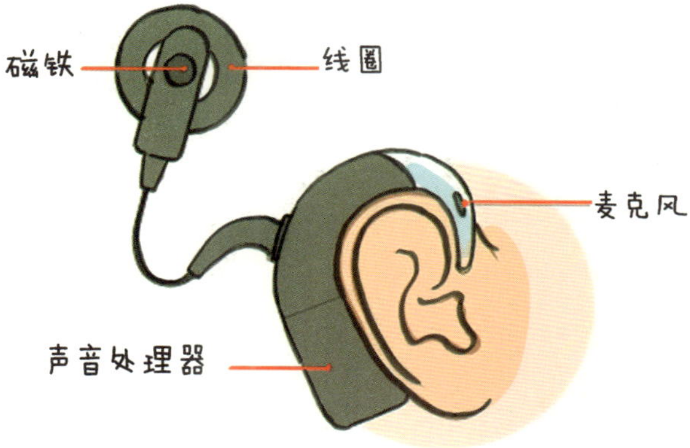

人工耳蜗的另一部分通过手术植入体内，埋在头皮下，包括内线圈、接收刺激器和刺激电极。

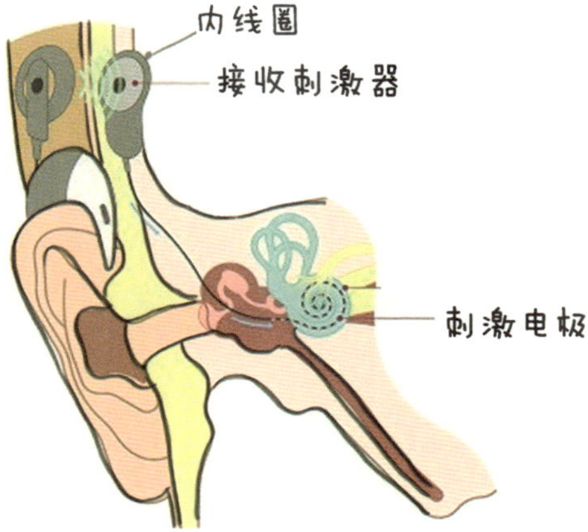

人工耳蜗的工作原理

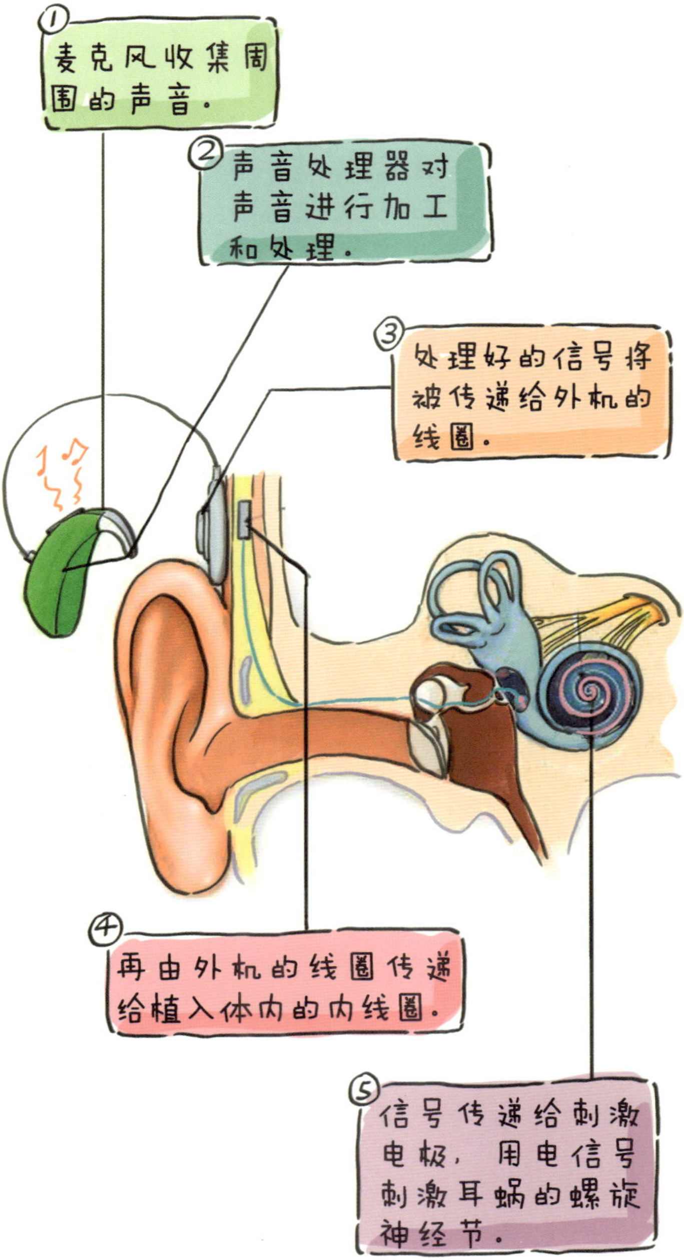
①麦克风收集周围的声音。
②声音处理器对声音进行加工和处理。
③处理好的信号将被传递给外机的线圈。
④再由外机的线圈传递给植入体内的内线圈。
⑤信号传递给刺激电极，用电信号刺激耳蜗的螺旋神经节。

因此，人工耳蜗能够代替患者受损的耳蜗，帮助有需要的人重新回到有声世界。

通过人工耳蜗听到的音质与正常听力听到的音质不同，它也不会使听力恢复到完全“正常”。

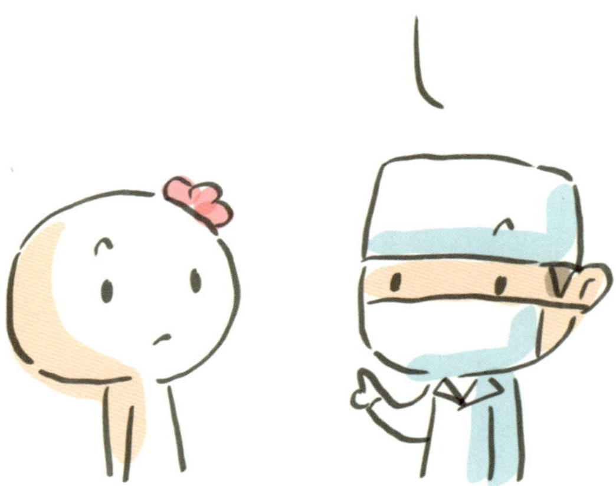

想想看，小小机器中有限数量的电极接管了正常耳蜗中数千个毛细胞的工作，听到的声音当然不会完全“自然”。

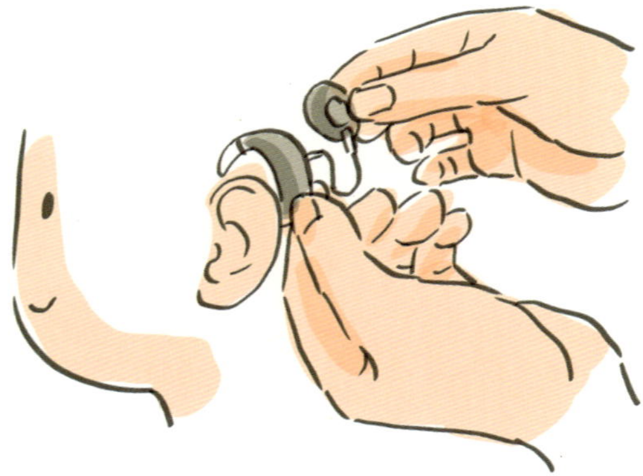

听你这么一说，怎么感觉人工耳蜗也不是特别有用啊？

哈哈，其实人工耳蜗的作用还是很大的……

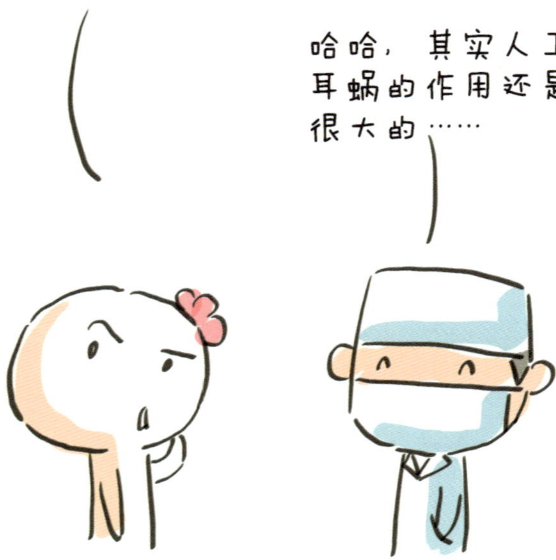

人工耳蜗能够让部分听力损失严重的人重新听到声音。

人类强大的大脑可以重新整合声音，感知言语、理解语言。

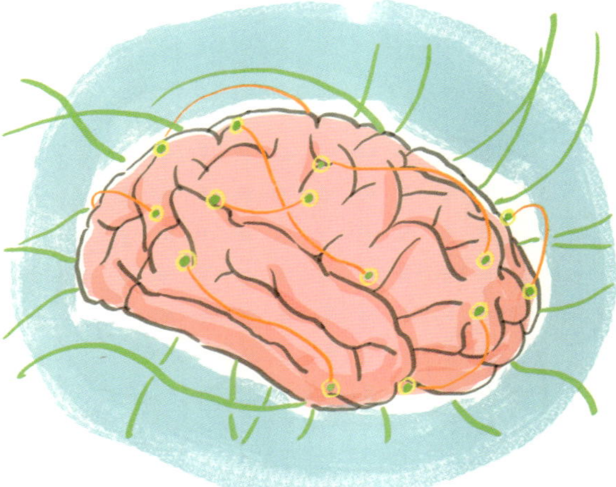

通过植入人工耳蜗，从未听过声音的婴幼儿很快就会建立新的大脑通路来理解这些声音。

通过专业的听觉-言语-语言康复训练，植入人工耳蜗的儿童可以学会如何感知声音，如何更好地学习语言表达。

人工耳蜗的作用

包括识别日常环境声音的能力。

感知声音方向和来源的能力。

言语理解能力。

还有很重要的一点，可以享受各种听觉体验，如收看电视节目、听音乐和通电话等。

人工耳蜗的植入时机

当一个人面临重度及以上听力损失，助听器无法提供足够帮助时，人工耳蜗就成为一种更优的选择。

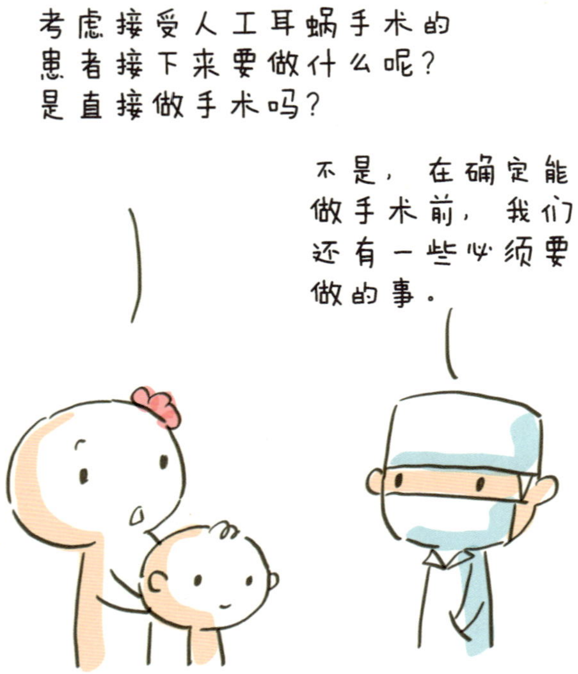
考虑接受人工耳蜗手术的
患者接下来要做什么呢？
是直接做手术吗？
不是，在确定能
做手术前，我们
还有一些必须要
做的事。

1. 进行听力测试。

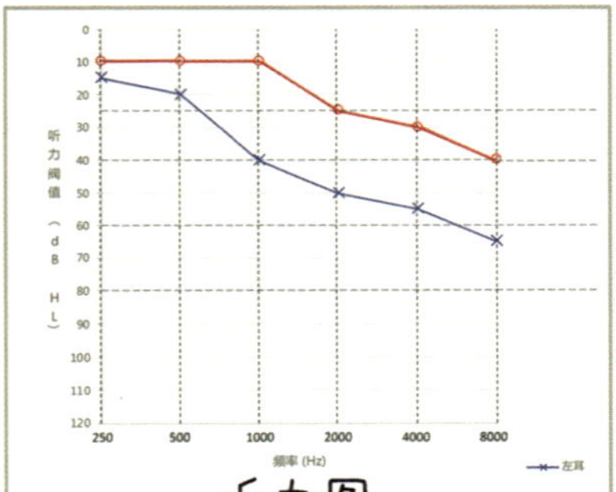
0
10
20
30
40
50
60
70
80
90
100
110
120
听力阈值（dB HL）
250
500
1000
2000
4000
8000
频率 (Hz)
左耳
右耳
听力图

2. 进行言语、语言、认知能力评估。

3. 使用一段时间助听器，观察助听器对患者是否有帮助。

4. 进行CT或MRI检查以明确内耳及其周围的解剖结构是否正常。

会不会出现没必要或不适合植入人工耳蜗的情况？

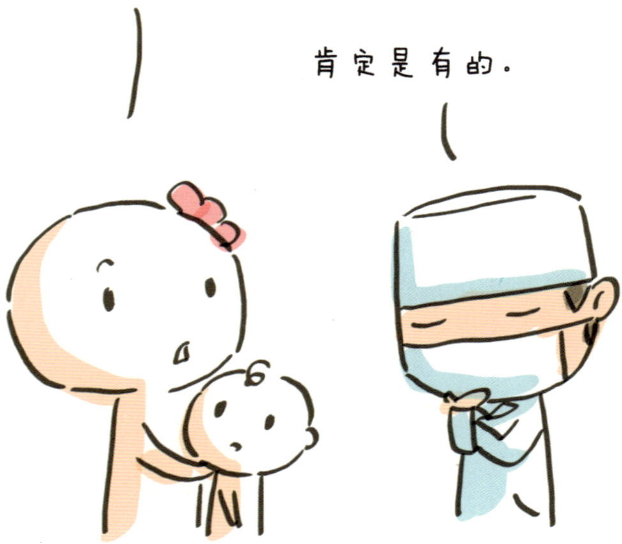

听力“太好”的患者，完全可以借助价格更低、更方便的助听器听到声音。

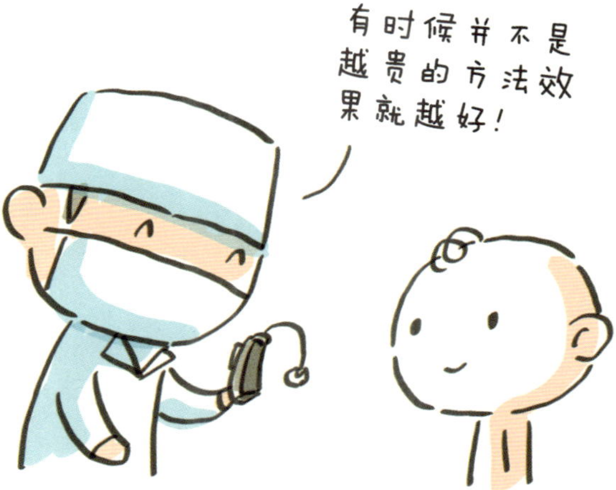

听力损失不是由耳蜗问题造成的，例如听神经缺损等。

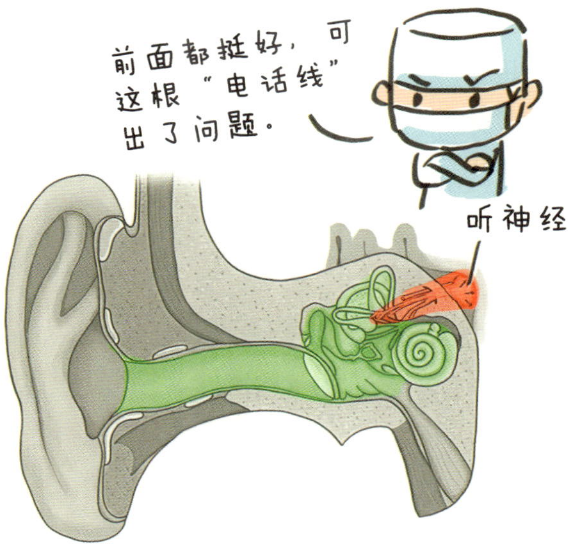

对于一些特殊的听力损失患者，如果听中枢和听神经有问题，人工耳蜗也不能起到效果，患者需要与医生沟通，选择更适合的方式改善听见。

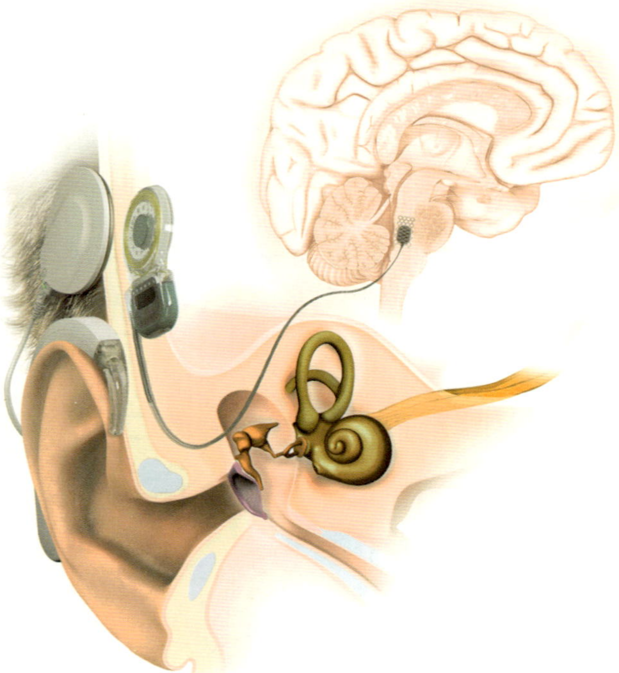

严重听力损失持续很长时间：患者长期没有声音或言语输入。

我还有一些担心，人工耳蜗植入手术有风险吗？
毕竟是要在脑袋上来一刀……
这种担心完全可以理解。
人工耳蜗植入术是一项非常精细的手术，所有手术都存在一定风险。

但是经过术前系列检查，在患者与医生的积极配合下，能够将风险尽可能降到最低。

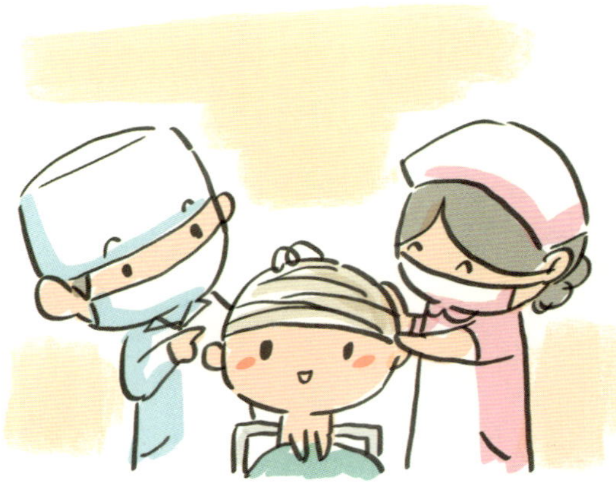

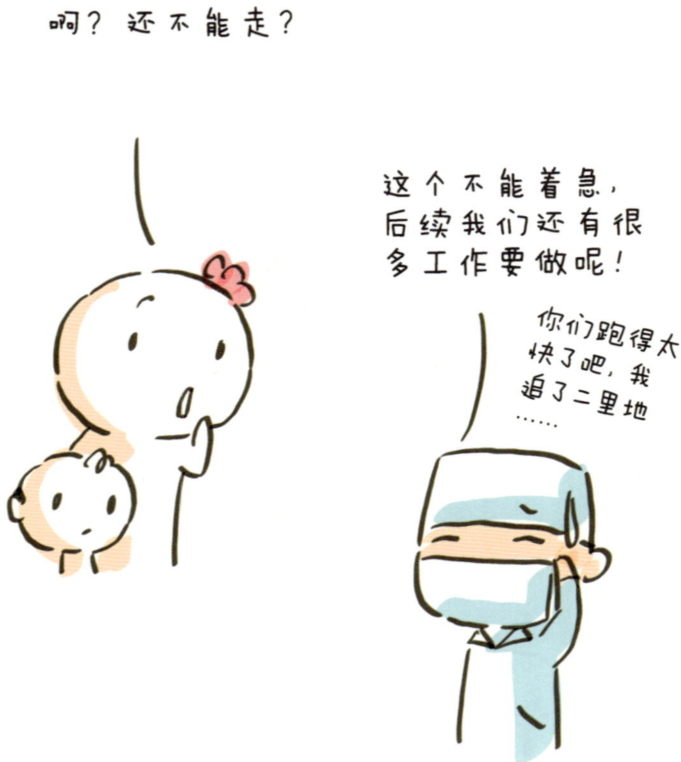
啊？还不能走？
这个不能着急，
后续我们还有很
多工作要做呢！
你们跑得太
快了吧，我
追了二里地
……

1. 专业的调试

我们需要在规定的时间，由专业的调机师对人工耳蜗声音大小进行调试。

2. 专业的听觉-言语-语言康复训练

将人工耳蜗这一工具用起来，帮助植入者将声音含义与声音对应起来。

让他们理解并开口说出来，发展出语言及社交沟通能力。

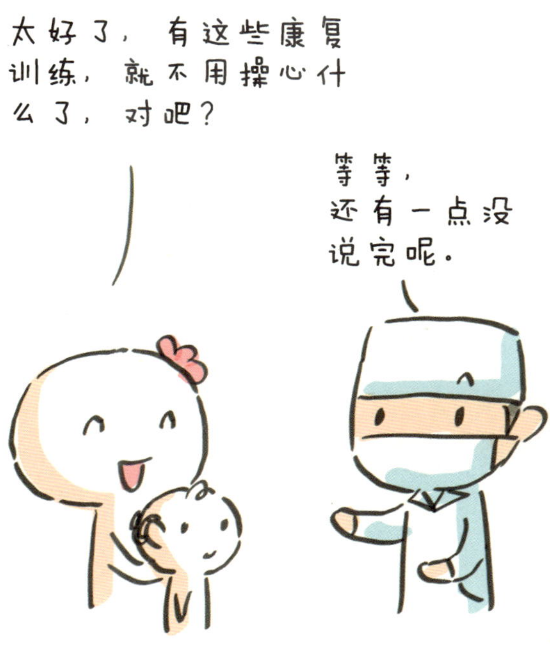

影响人工耳蜗效果的因素

大多数人植入人工耳蜗后表现不错，但结果各不相同。

他们的听力和沟通能力受到多种因素影响。

1. 听力损失时的年龄

2. 人工耳蜗植入的年龄

3. 听力损失的原因

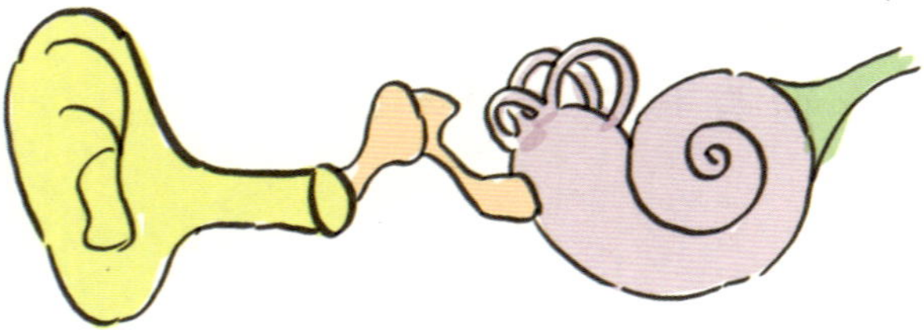

传导性 感音神经性

混合性

4. 是否有其他健康问题或学习障碍、以及家庭的支持等。

这些因素和人工耳蜗植入效果有很大关系。

原来还有这么多要考虑的因素，看来决定植入人工耳蜗前，一定要多多了解，多做功课。

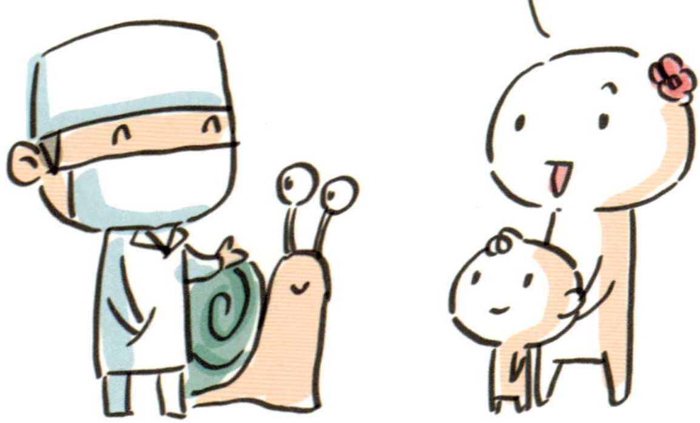

第三章

被忽视的康复训练

关于助听器和人工耳蜗的误解

很多人误以为佩戴助听器或者植入人工耳蜗就能和正常听力的人一样了。

误解1：不会说话的孩子自然而然就会说话了。

误解2：长时间听力下降的老年人马上“耳聪言明”！

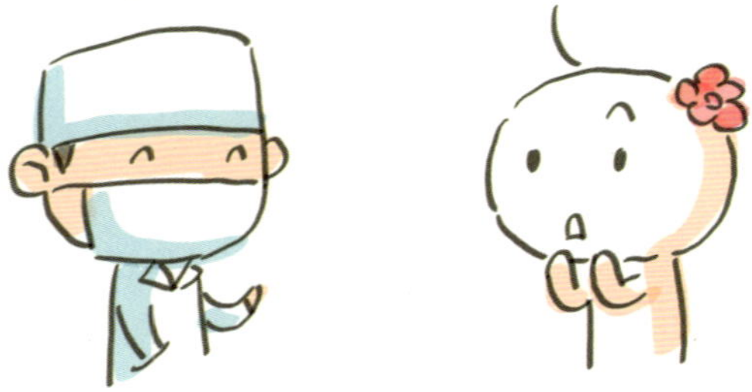

我们常有个比喻，助听器和人工耳蜗就像是电话线，佩戴助听器或植入人工耳蜗，就好比我们有了通畅的电话线。

在与人沟通交流的时候，不仅取决于听到声音，还取决于双方说话的内容。

听力损失前还没学会说话的孩子，即便佩戴助听器或植入人工耳蜗，依然无法听懂大家在说什么，好像是一个外国人。

你说的：
“宝宝，
今天想吃什么？”
孩子听到的：
“叽叽喳喳，叽叽
叽喳喳啾啾……”
她在说什
么???

虽然“电话线”是通畅的，
但是对于语言的解读，却需
要孩子不仅听得见，还得听
得懂。
那么我们如何帮助孩
子听懂声音呢？

如何听得懂

首先，我们要明白听懂声音是一个循序渐进的过程。

语前听力损失的孩子在接触助听器或人工耳蜗前，大脑一直没有接收到声音的刺激，比同龄孩子缺少了相应的声音感知以及建立语音系统的时间。

在这个过程中，他们一直缺少对环境中各种声音的察觉、辨识，以及对语言的理解。

所以。一旦孩子佩戴助听器或植入人工耳蜗，我们要及时为他们提供康复训练。

帮助孩子建立和熟悉来自听觉通路的信号，最终尽可能实现最大程度的听懂声音。

康复训练的具体内容

1. 感知声音的有无

儿童佩戴助听器或植入人工耳蜗开机后，并不会立刻意识到在助听器或人工耳蜗的辅助下接收到的信号是“声音”。

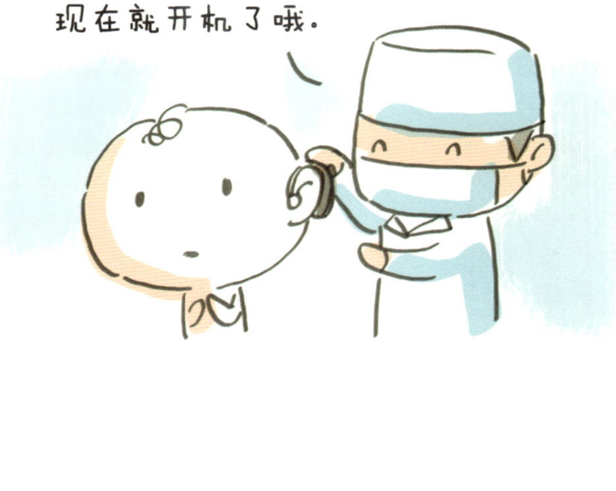

很多儿童甚至会因为这些声音信号而感到害怕，或者处于无动于衷的状态。

因此，刚开始的时候，我们需要帮助孩子建立对这些声音信号的接收意识。

这种感知声音有无的意识，可以分为

听觉有意注意感知 和 听觉无意注意感知。

其中，听觉有意注意感知是指儿童在他人的指示下感知到听觉信号的能力。

听觉无意注意感知是儿童不需要特定指示就能够感知到声音信号的能力。

听觉无意注意感知是更高阶的能力，这是儿童逐渐习惯处理听觉信号的一种表现。

这种能力为后续儿童生活、学习、社交奠定了重要基础。

2. 分辨声音的差异

有了感知声音的能力之后，我们需要区别声音的差异。

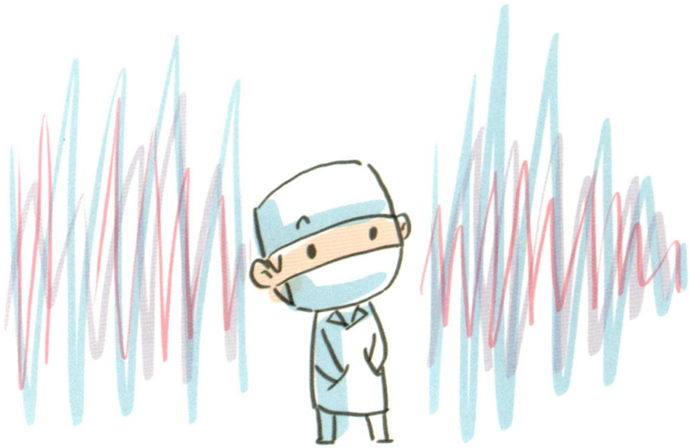

从物理学上来说，声音具有频率、幅度、时长等属性。

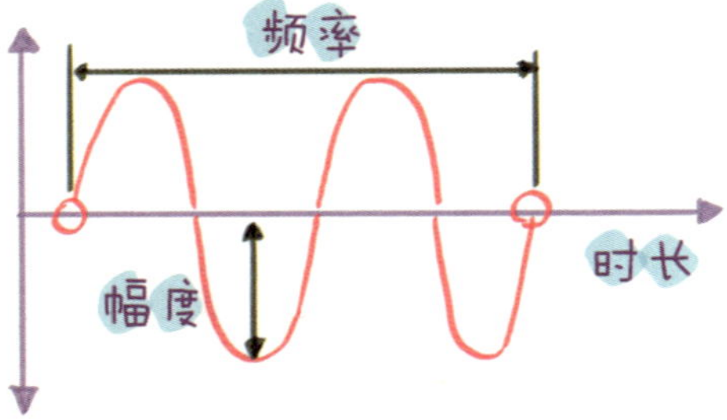

正因为有这些差异，才使我们感知声音时会产生“洪亮”“低沉”“很响”“很吵”“尖锐”等感受。

人耳接收到的声音是多种多样的，如自然界的动物叫声，环境中的电话声、乐器声等。

还有最重要的言语声信号。

比如“你好”和英文中的“hello”，都是一种打招呼的沟通方式，但是两者语音、语调都不相同。

即使是相同省份不同区县之间的方言，
也可能存在很大差异。

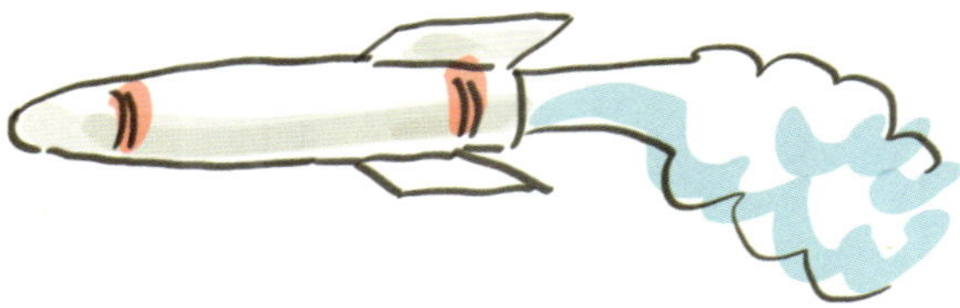

每个人的发音习惯、说话方式也有区别。

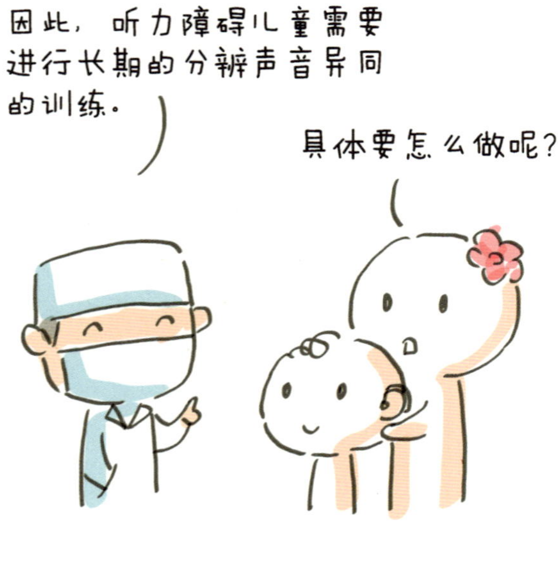

可以从多个角度进行声音分辨康复训练。

（1）不同类型声音的感知和分辨

在刚开始的时候，可以为孩子提供各式各样的声音进行感知。

（2）从单一维度对声音的不同特性进行感知和分辨

在儿童积累了一定的关于环境中不同声音信号的感知能力之后，可以开展一些依据声音的不同特性设置的分辨活动。

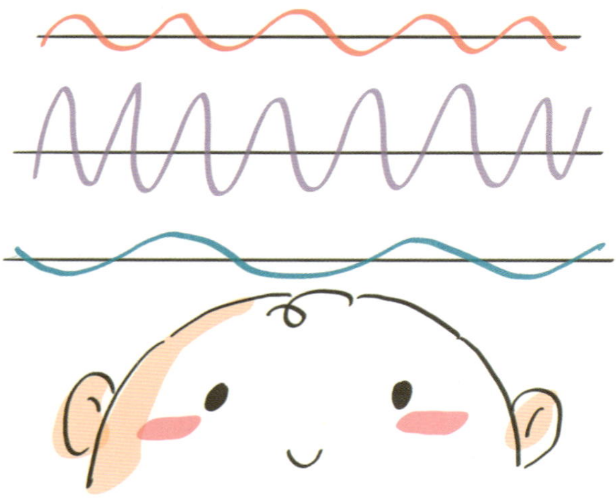

不同时长的声音感知分辨能力

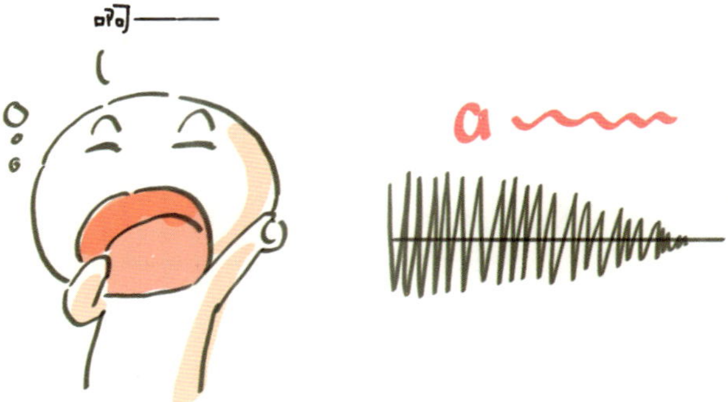

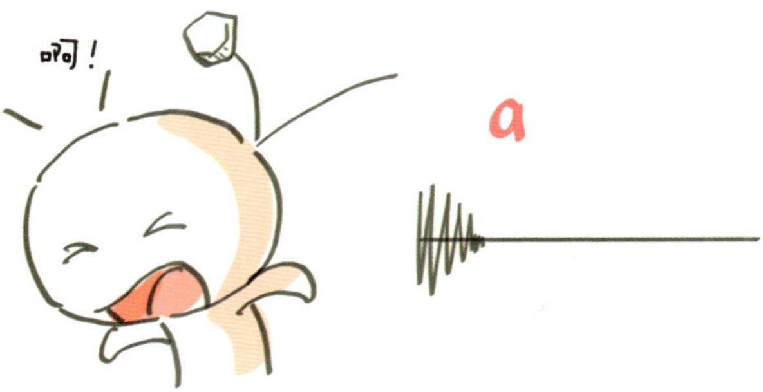

不同强度的声音感知分辨能力

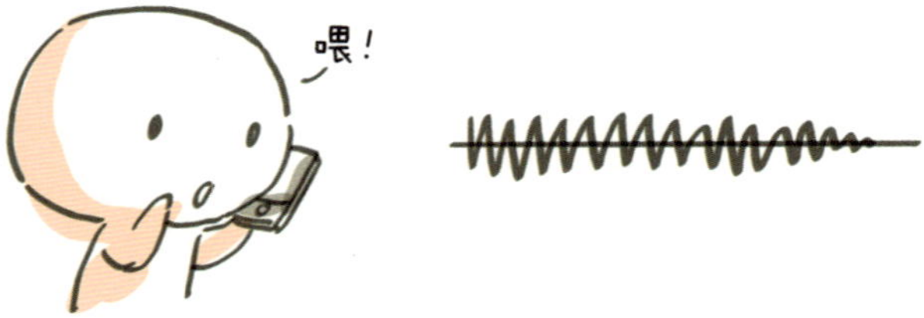

不同频率的声音感知分辨能力

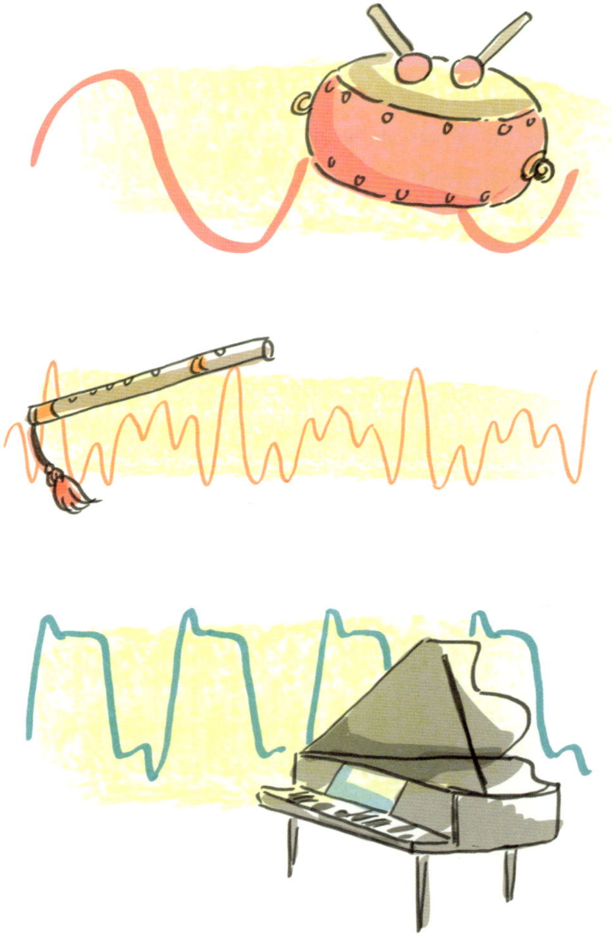

（3）对言语声的感知和分辨

上述两个过程，可以帮助儿童发展良好的感知声音特性的能力。

但是对于交流而言，最重要的还是听懂我们的言语声。

这种对汉语语音的感知分辨能力，应该如何训练呢？

我们可以开展汉语语音综合分辨能力训练和汉语语音精细分辨能力训练。

前者是指在分辨任务上，儿童可以依靠声音的多维度线索区分不同的语音。

苹果　和　香蕉

比如“苹果”和“香蕉”，它们的声母、韵母、声调等都是不同的。

píng guǒ　xiāng jiāo

儿童只需要依靠部分声音信号线索，就可以进行分辨。

后者，则是指给予儿童的声音信号只在单一维度上有差异。

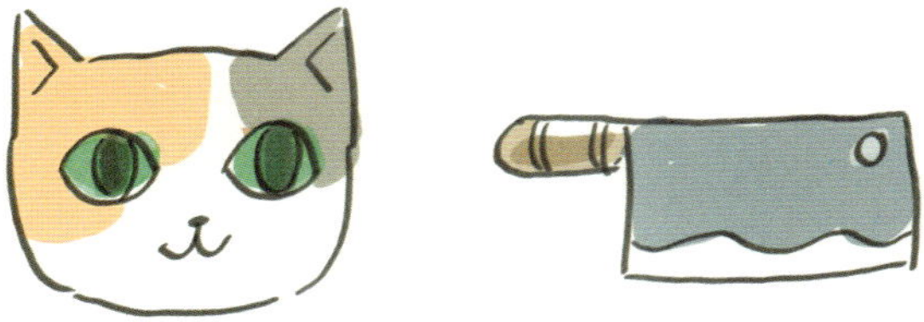

猫　　和　　刀

比如，“猫”和“刀”，两个语音唯一的不同是声母。

儿童对言语声的分辨能力越精细，听得越清楚，理解能力就越好。

3. 对声音信号的理解能力

事实上，从助听器佩戴或人工耳蜗开机开始接触到声音信号的那一刻起，对声音信号的理解能力训练就同步开启了。

在开始阶段，儿童的理解能力需要很多前期铺垫。

所以，感知声音、分辨声音和理解声音，这些环节是环环相扣，循环上升的过程。

开始以词汇理解为主，可以围绕儿童日常生活的各种名词和动词进行训练。

我们的身体部位

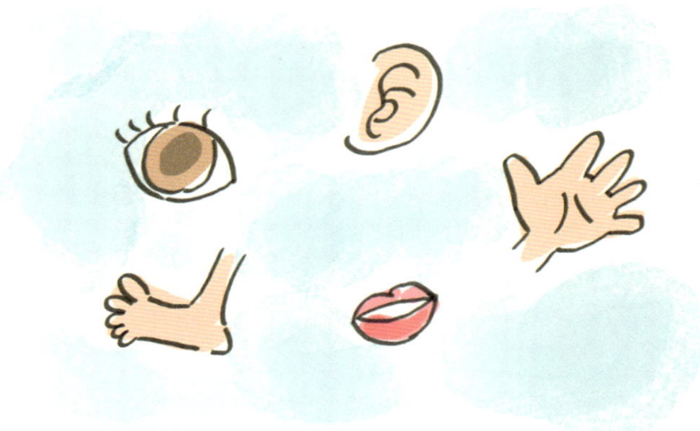

日常生活中的食物、交通工具

我们的家和家人，生活中的相关名词

我们日常常见的动作，如跑、跳、唱、拿、推、切

在这个过程中，我们可以通过让儿童进行二选一、三选一甚至四选一等不同梯度的理解活动任务，掌握儿童理解词汇的能力。

有了一定的词汇理解能力之后，我们还将进一步开展短语理解能力训练。

并列结构，如“苹果和香蕉”

偏正结构，如“黄色的香蕉”

主谓结构，如“妈妈唱歌”

动宾结构，如“吃香蕉”

通过训练，儿童对语言的理解能力在不断上升，逐渐扩展到对句子和对话的理解。

“一位穿着黄色背心的阿姨，正在幼儿园门口值勤。”

或者是对经典小短文故事的理解，如“小红帽和大灰狼”“司马光砸缸”。

在这些过程中，我们要注重检查儿童听觉理解能力。

儿童应该能够根据听到的短文故事回答相应的问题，具体如下。

当儿童能够具备这些听觉理解能力，从很大程度上来说，我们可以认为儿童具备了“听得懂”的能力。

如何说得清

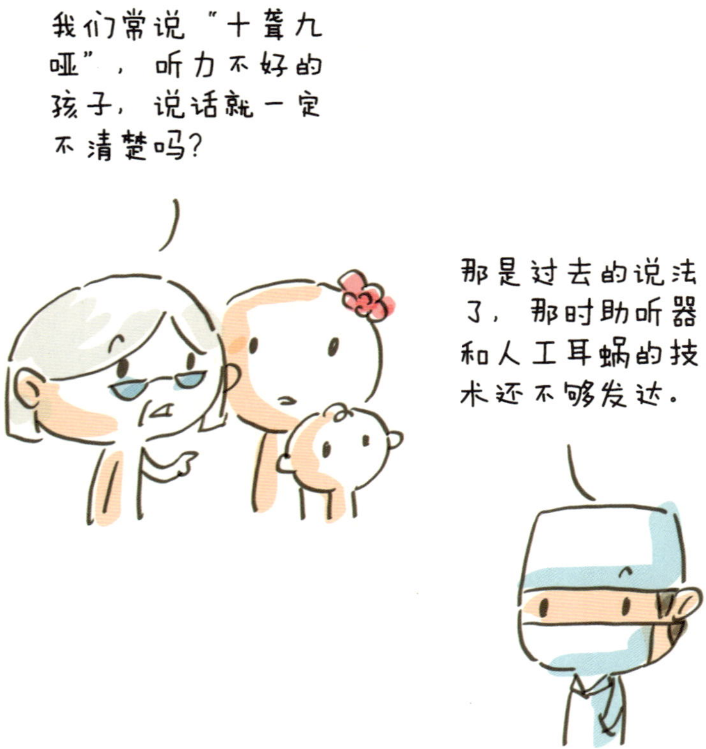
我们常说“十聋九哑”，听力不好的孩子，说话就一定不清楚吗？
那是过去的说法了，那时助听器和人工耳蜗的技术还不够发达。

虽然目前助听器和人工耳蜗的技术提高了很多，但是我看到很多孩子在佩戴助听器或植入人工耳蜗之后，仍可能存在“说不清楚”的现象，为什么呢？

这个就有很多原因了。

原因1：早期听觉剥夺和适应

儿童在听力恢复过程中可能需要一定时间来适应助听器和人工耳蜗。

他们需要重建对语音的听觉和语音发音的连接，这可能需要持续的训练和练习。

原因2：发音技能不足

其实普通儿童在发展流利、清晰语音的过程中，也会经历一段语音不清晰的时间。

口齿清晰需要良好的发音技能和口腔肌肉的协调。

即使能够听到声音，但要发出准确的语音仍需要发音技能训练。

原因3：语言发展延迟

有些儿童可能因为听力障碍导致语言发展延迟。

即使开始使用助听器或人工耳蜗，他们可能仍需要额外的语言治疗和支持来改善口齿清晰度并提升语言能力。

原因4：听觉和运动协调

“说”是口腔运动协调性的体现，但是受到中枢神经系统的调控。

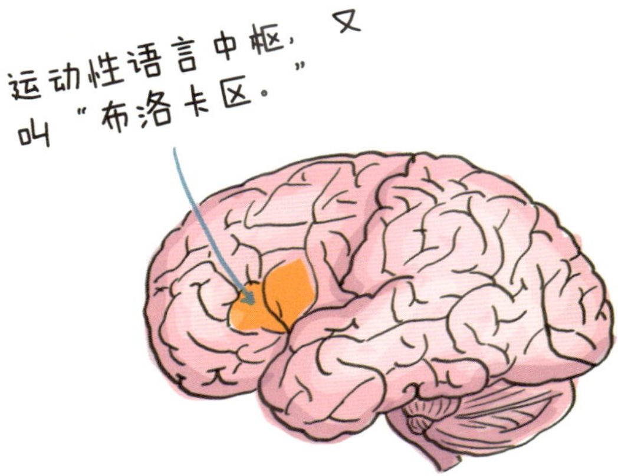

所以，从听觉信息处理到言语表达的过程，会涉及多重听觉和运动系统的协调。

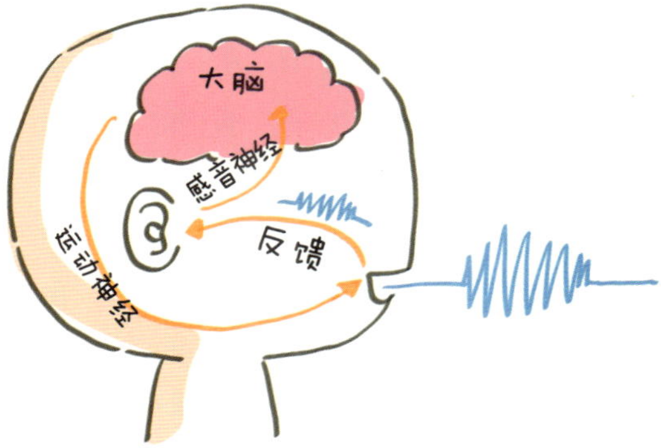

原因5：个体差异

每个儿童都有自己独特的发展轨迹和需求，因此口齿不清程度可能会因人而异。

需要特别注意的是，如果早期错过了语言习得关键期，即使后期佩戴助听器或植入人工耳蜗，听力障碍儿童的语言习得将困难重重，更谈不上口齿清晰。

那么我家孩子说话不清晰，应该怎么办呢？

可以采用很多措施来帮助他们。

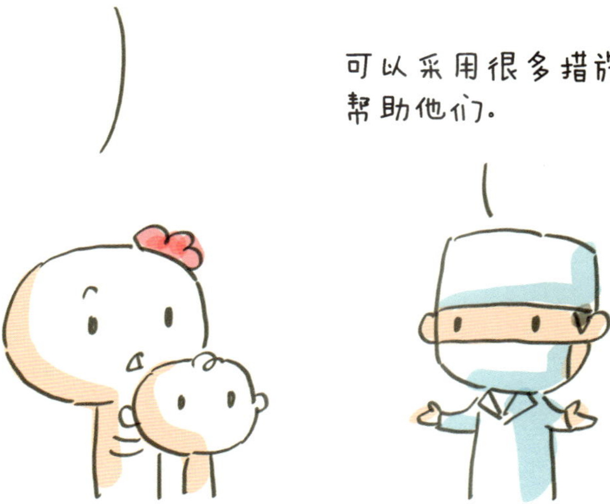

评估是依据

首先要进行言语清晰度评估，通过评估结果制订个体化康复训练计划。

训练是基础

针对儿童具体的语音发音问题，进行针对性训练，具体如下。

可以利用视觉辅助工具，如口形、口腔动作和音标卡片，帮助儿童掌握正确的口腔形态和发音方式，从而提高口齿清晰度和语音准确性。

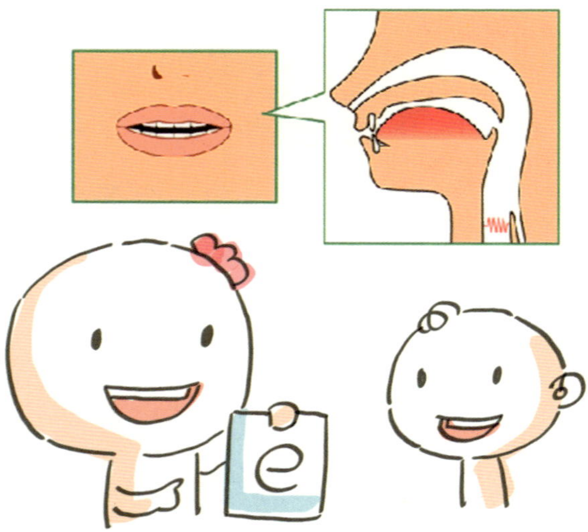

经验很重要

根据以往经验，很多听力障碍儿童的言语清晰度问题和口腔运动能力有关。

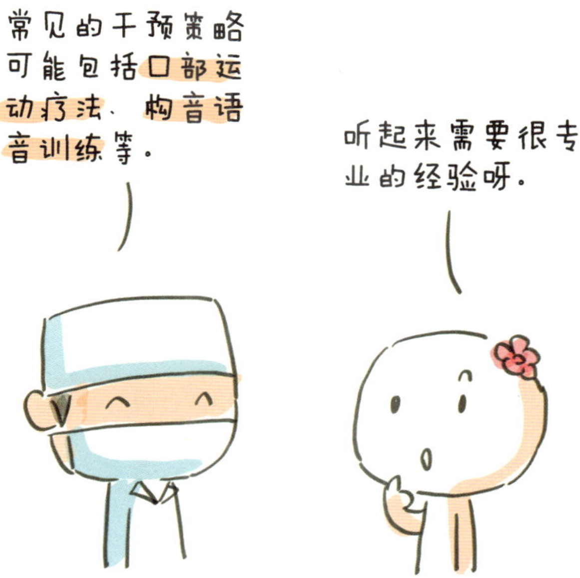

在干预过程中，我们需要特别训练听力障碍儿童对语音的听觉分辨能力。

因为很多听力障碍儿童无法发出正确的语音，往往可能是由于对这些语音的分辨能力不足所致。

家长须参与

言语治疗师训练的时间有限，需要以家庭为中心，鼓励家长参与到训练中，帮助儿童在日常生活中持续练习和巩固。

听力障碍儿童在佩戴助听器或植入人工耳蜗后，还需要接受非常专业、系统的听觉-言语-语言康复训练。

附录

耳朵的宫内养成记

“胎教”：顾名思义，指的是孩子在妈妈肚子里时家长对其进行的教育。胎教较常见的方式是给胎儿讲故事、听音乐。

问题来了：肚子中的胎儿那么小，真的能听见来自外界的声音吗？

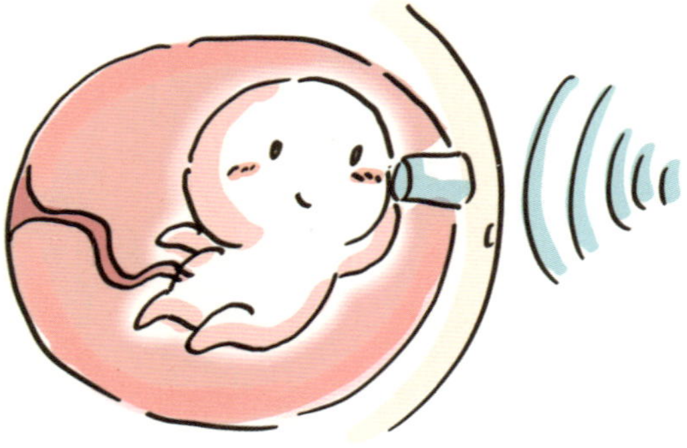

新生儿听力筛查未通过，家长担心是不是孩子太小，还没有发育成熟，医生却强调：

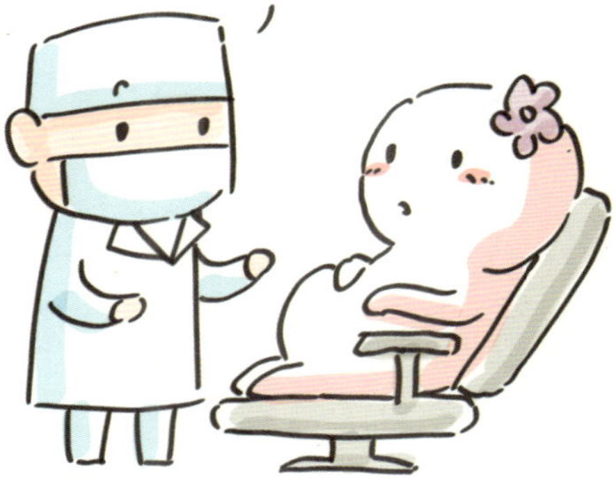

问题来了：孩子的主要听觉结构需要多久才能发育成熟呢？

我们的生命起始于受精卵，受精卵逐步在子宫内分化为胚胎。怀胎十月，就是胚胎在妈妈腹中发育的过程。随着胚胎的发育，我们的耳朵也在悄悄发育。

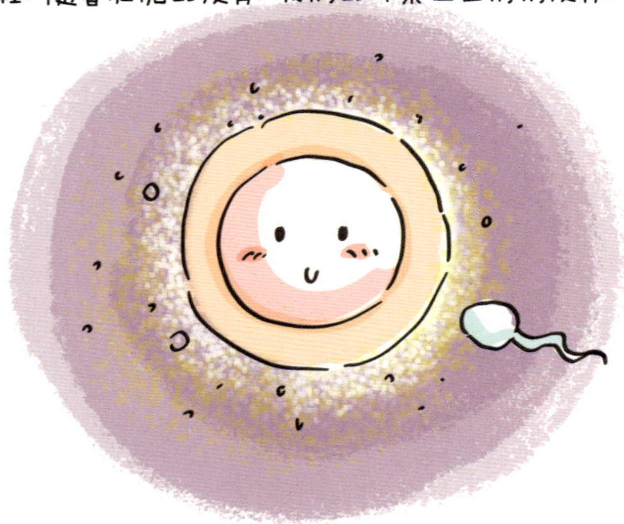

听觉系统分外耳、中耳、内耳、听神经等部分。这些部分共同构成人体的听觉和平衡功能，缺一不可。

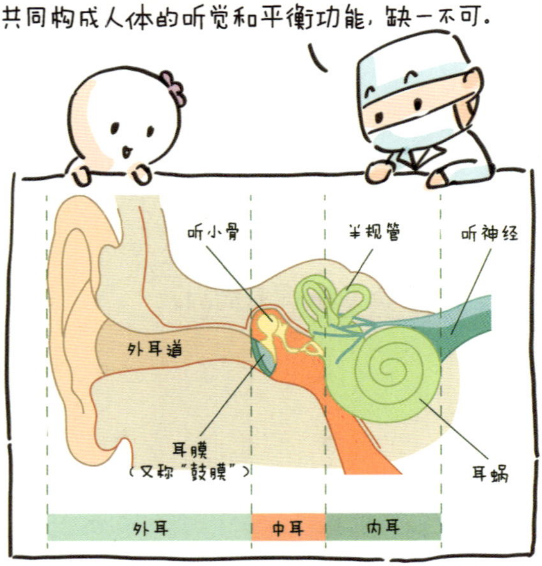

外耳部分

在妊娠第5~6周，早期的耳廓开始发育；第6周左右，外耳道开始形成（外耳源自外胚层）。

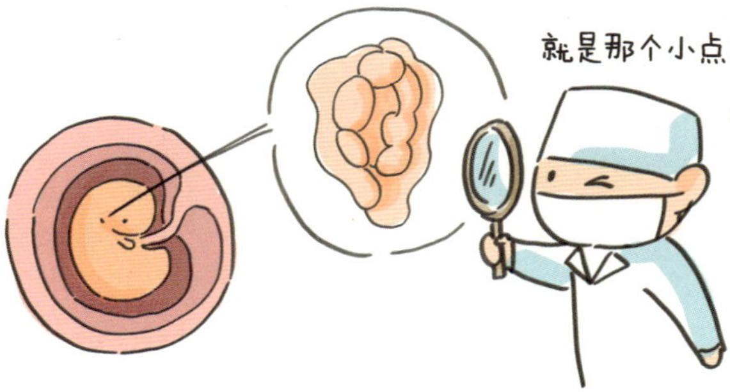

妊娠第12周，耳廓初步形态形成。

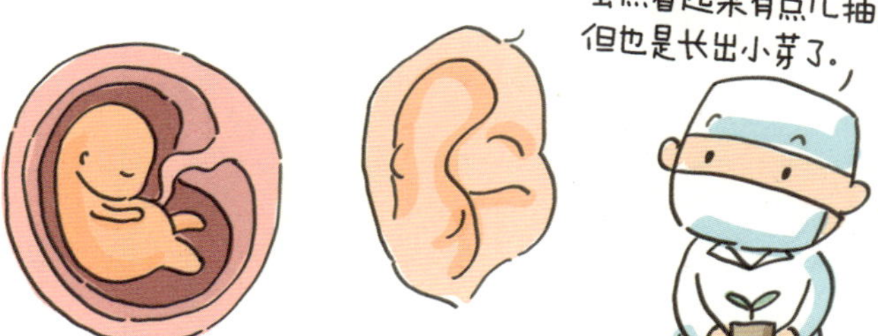

妊娠第18周，外耳道大小和形状达到成人水平；第20周，耳朵的形状达到成人水平。

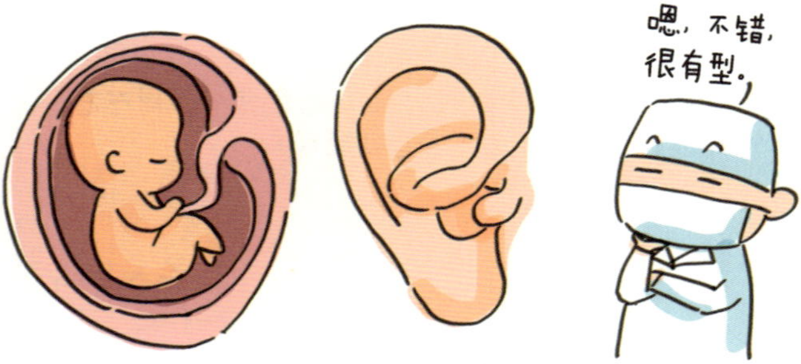

如果发育顺利，一般到妊娠第28周时，整个耳廓结构就会清晰可见，并形成正常的外耳道。

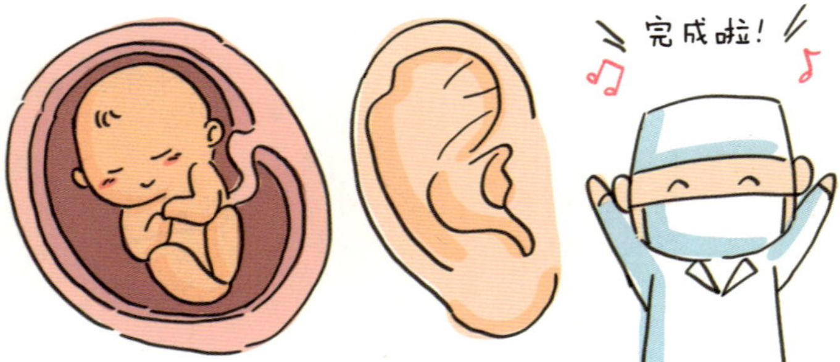

总结

外耳结构在妊娠第28周左右发育完成，此时就能通过四维彩超看到胎儿的耳朵了。

外耳发育小知识

外耳道发育晚于耳廓，因此临床上可见不合并耳廓畸形（即单独存在）的外耳道狭窄或闭锁。

耳廓发育时，颌面部也在同步发育，因此临床上常见伴颌面部异常的耳廓畸形。

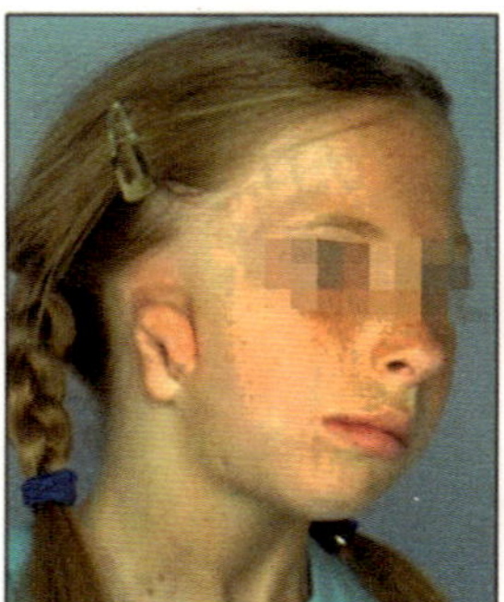

伴颌面部异常的耳廓畸形

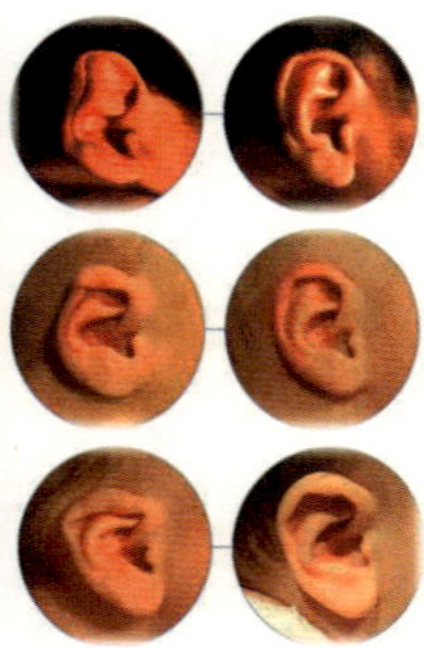

小耳畸形

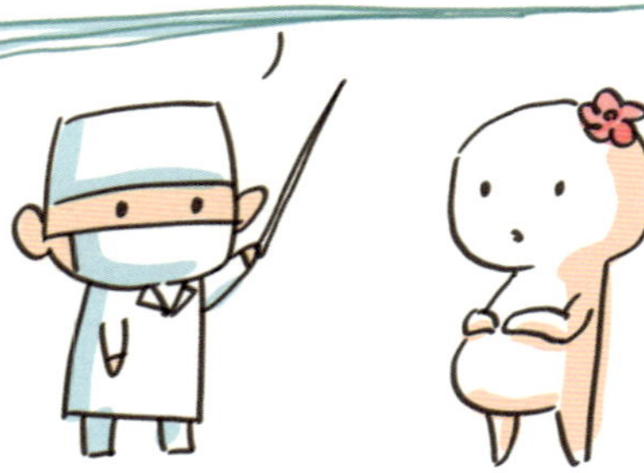

耳廓畸形是临床上常见的新生儿外耳畸形，可分为耳廓结构畸形和耳廓形态畸形。

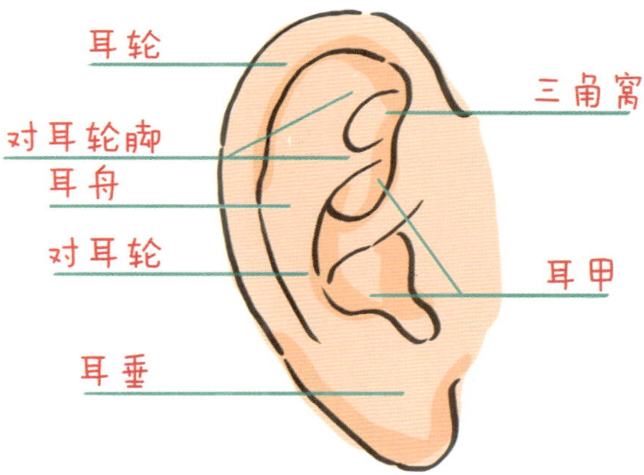

造成先天性耳廓畸形的原因很多，可能和遗传因素、孕期内外因素、产期挤压等有关。

耳廓结构畸形是指耳廓的皮肤或软骨组织缺失，即家长肉眼可见小朋友的耳朵少了一块儿。

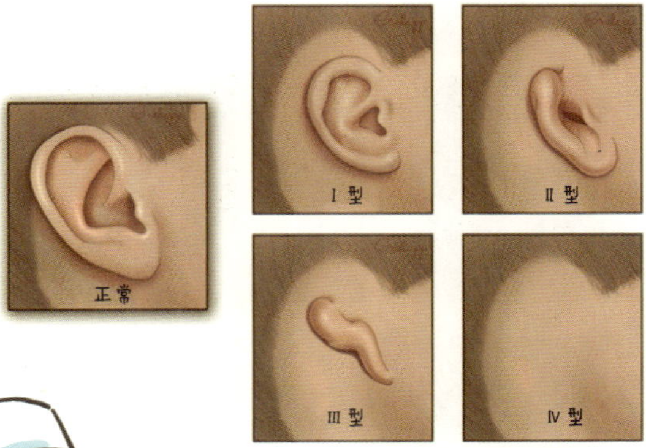

通常通过手术治疗的方式进行干预。

耳廓形态畸形是指耳廓发育完善，但形态异常，即小朋友耳朵该有的结构都是齐全的，但是看上去就是怪怪的、不太正常。

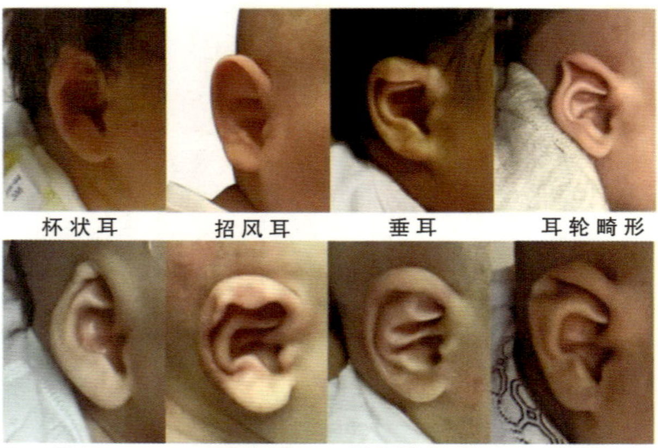

杯状耳　招风耳　垂耳　耳轮畸形

隐耳　环缩耳　耳甲腔异常　猿耳

目前，耳廓形态畸形可通过新生儿期的非手术方式（佩戴耳廓矫形器）进行干预。

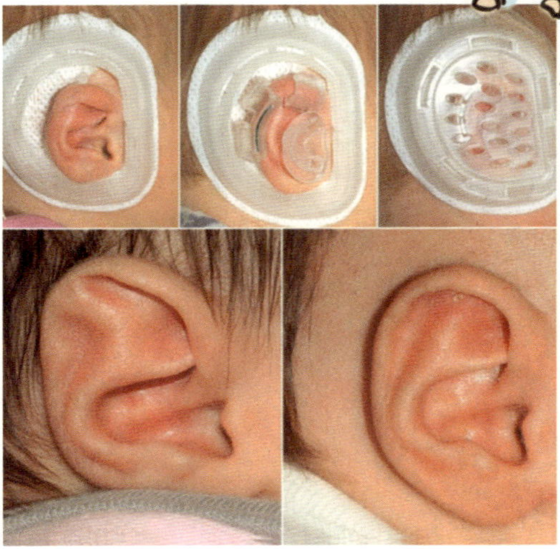

很多家长在发现新生儿耳廓畸形后，总是抱着侥幸心理，希望孩子的耳廓能“自行矫正”。

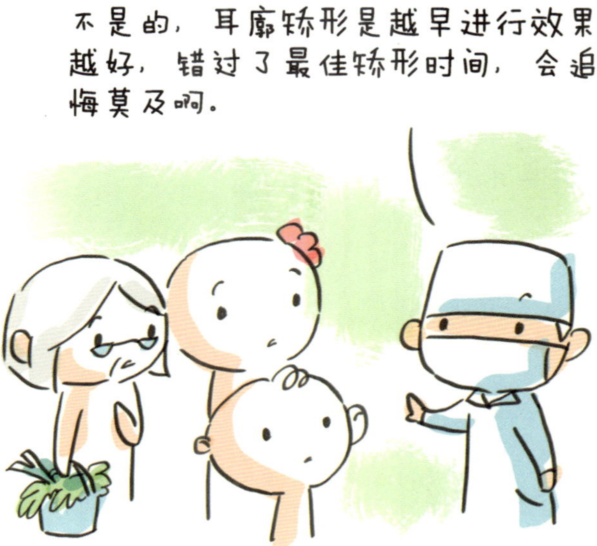

民间常见的“招风耳”“杯状耳”，很多家长认为是正常的。

其实这是耳廓畸形中的形态畸形，可以在新生儿期通过非手术方式进行纠正。
抱歉，不得不泼冷水。
啊，原来这样啊！……

外耳横突畸形
正常
90°
30°

中耳部分

在妊娠第3周，中耳开始逐步发育；第8周，早期中耳腔形成，此时只有发育完全的中耳腔一半大小（中耳源自内胚层和外胚层）。

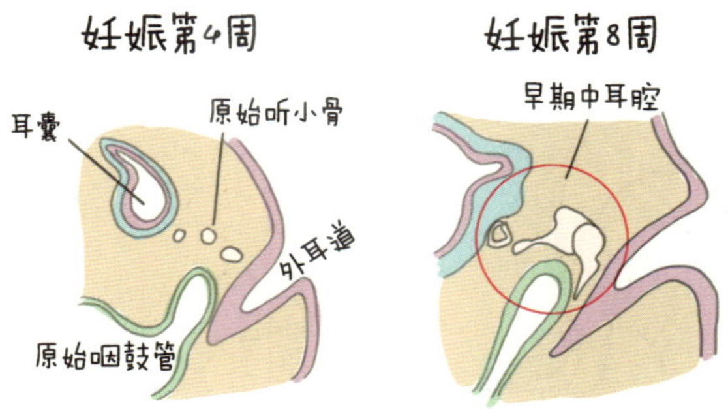

在妊娠第9~22周，听骨链开始为软骨形态，其后逐渐骨化，并快速生长到成人大小。

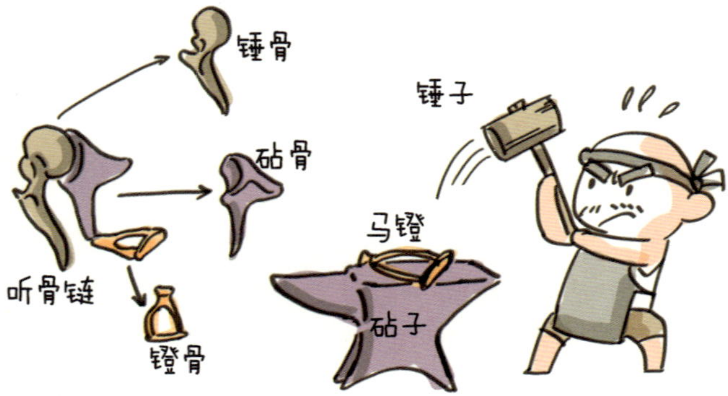

在妊娠第30周，中耳腔大致发育完全。

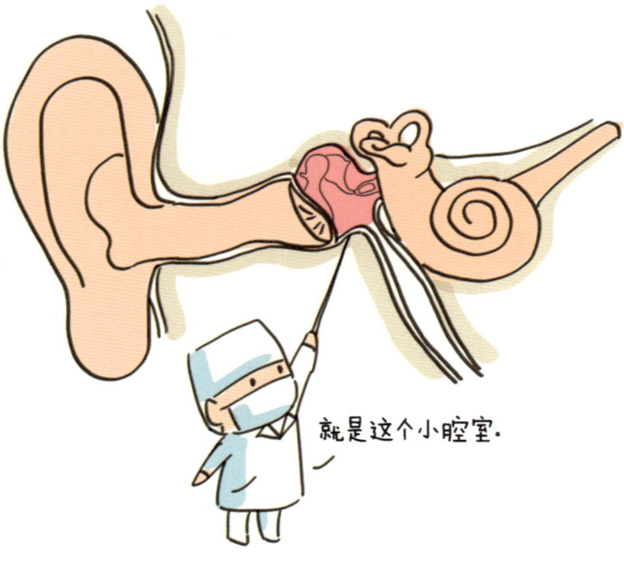

总结

中耳结构在妊娠第30周左右大致发育完成。在中耳发育过程中，位于耳朵里的人体最小巧的骨头——三块听小骨也发育完全了。

中耳发育小知识

外耳及中耳起源于相同的胚胎原基——鳃弓，因此，中耳发育异常通常伴有外耳发育异常。

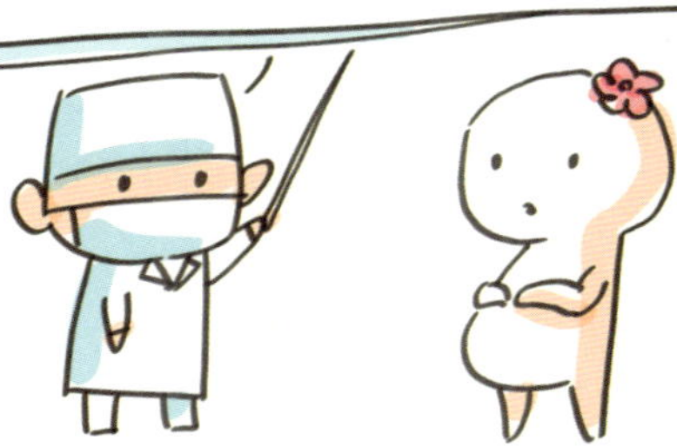

内耳部分

在妊娠第4周，一个囊状的听泡发育形成，听泡及周围间充质演变为内耳膜迷路；在妊娠第3个月，内耳膜迷路周围间充质分化成一个包绕膜迷路的软骨囊（内耳源自中胚层、外胚层）。

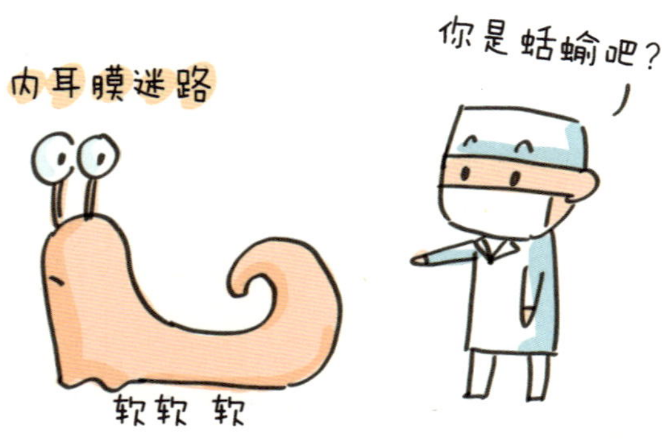

在妊娠第5个月，软骨囊开始骨化，成为骨迷路。

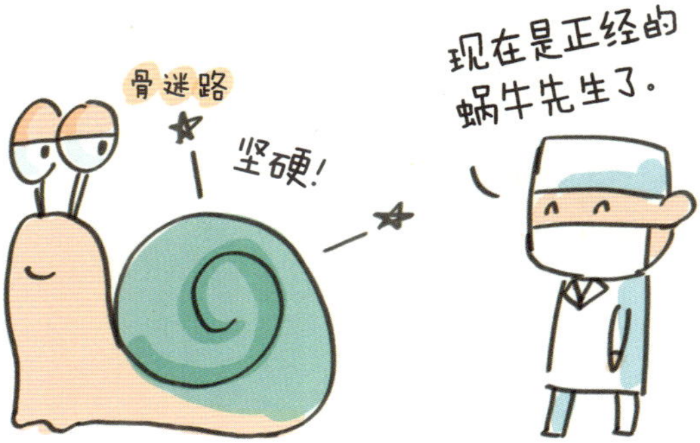

负责听见声音的柯蒂氏器在妊娠第7周左右开始分化，并在妊娠第25周分化完成。

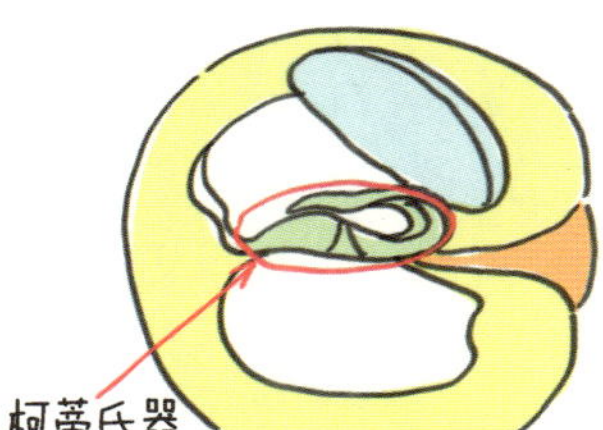

柯蒂氏器是位于耳蜗内的听觉感受器，它的上皮细胞可将听觉信号转化为神经冲动的动作电位。

总结

内耳结构中负责感受听觉的柯蒂氏器在妊娠第25周左右分化完成。
目前有研究表明，妊娠第25周左右（即柯蒂氏器分化完成后），胎儿就能够通过羊水的传导，听到母亲的心跳及胃肠道蠕动的声音啦！

总结

在妊娠第25周左右，胎儿的听觉传导通路基本建立。

相关研究表明，妊娠第27~29周胎儿能听见最小40dB的声音（正常交谈的音量），第42周胎儿能听见最小13.5dB的声音（悄悄话的音量）。

在妊娠第25周左右，胎儿就能听见妈妈胎教的声音了。

并不是妈妈说的所有悄悄话，肚子里的宝宝都能听清楚。

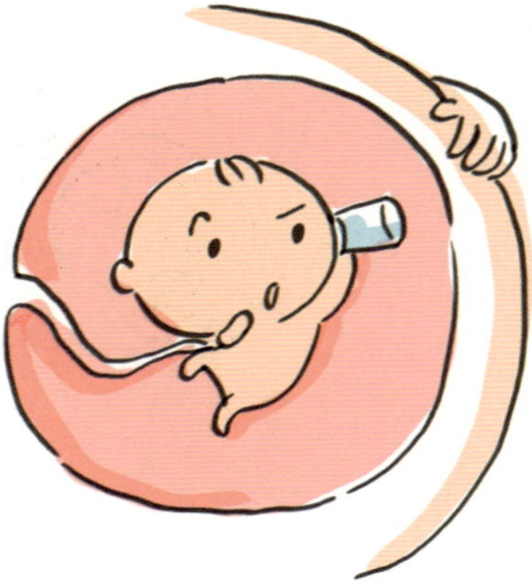

子宫并不是一个绝对安静的环境，
相反，子宫其实是一个很吵闹的地方。

子宫中充斥着妈妈产生的声音，如
呼吸音、肠鸣音、妈妈说话的声音、
妈妈运动的声音。

当妈妈处于安静状态且没有肠鸣音时，子宫内的背景声也不会低于28dB。

外界的声音传到子宫内部会经过层层衰减（肚皮、羊水等），通常会衰减20dB左右。

但妈妈声音的传递效率会更高一些，
通常衰减值在8dB左右。

因此，从某种程度上讲，对胎儿来说，妈妈的声音会比其他人的声音更容易分辨。

在孕期，孕妈妈要注意谨慎用药，避免使用耳毒性药物。

有研究表明，重度妊娠高血压等疾病同样会增加新生儿出现听力损失的概率。

所以，新生儿查出听力问题千万别拖延，要及时就诊！

要不等宝宝再长大一点儿看看，也许自己就长好了呢？

已确诊的感音神经性听力损失或部分传导性听力损失，如外耳道闭锁、中耳畸形，是不会随着患儿的成长发育而自行减轻的。

不同听力情况，拥有不同的干预手段及康复计划！一切以就诊后的医生建议为准。

还是那句话：
“早发现、早诊断、早干预、早康复！”

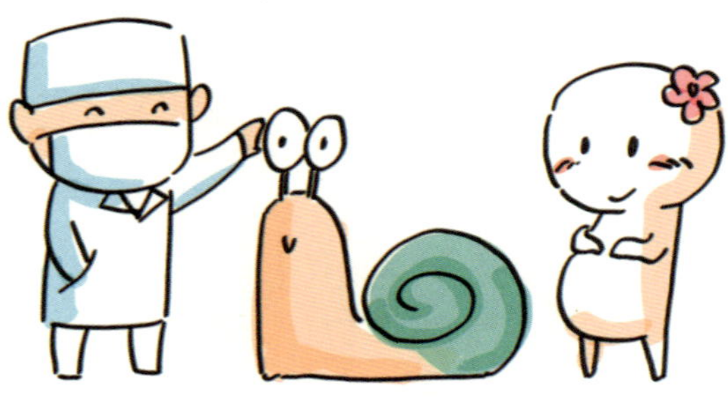